Canada

LE BLUENOSE

est le cent soixante-quatrième livre
publié par Les éditions JCL inc.

LES DIRIGEANTS DE LA PLANÈTE

Le *Bluenose II* était l'hôte du 21ᵉ Sommet économique
des grands pays industrialisés qui se tenait à Halifax,
Nouvelle-Écosse, du 15 au 17 juin 1995.
En arrière-plan, le *Blunose II*.

De gauche à droite:
Lamberto Dini, premier ministre de l'Italie
John Major, premier ministre du Royaume-Uni
Jacques Chirac, président de France
Boris Eltsine, président de Russie
Jean Chrétien, premier ministre du Canada
William J. Clinton, président des États-Unis
Helmut Kohl, chancelier d'Allemagne
Tomiichi Murayama, premier ministre du Japon
Jacques Santer, président de l'Union européenne

BLUENOSE II
PRESERVATION
TRUST

BRIAN ET PHIL BACKMAN

Le **BLUENOSE**

• L'HISTOIRE D'UN NAVIRE. •

• LES EXPLOITS ET LES TRIOMPHES QUI L'ONT RENDU CÉLÈBRE. •

• LE RÉCIT DES HOMMES QUI L'ONT CONÇU, QUI L'ONT CONSTRUIT, QUI L'ONT FAIT NAVIGUER ET DE CEUX QUI L'ONT AIMÉ AU POINT DE LE FAIRE RENAÎTRE. •

LES ÉDITIONS JCL

DONNÉES DE CATALOGAGE AVANT PUBLICATION (CANADA)

Backman, Brian
    Le Bluenose
    Traduction de: Bluenose

    ISBN 2-89431-164-8 (rel.)
    ISBN 2-89431-165-6 (br.)

    1. Bluenose (Navire). 2. Bluenose II (Navire). 3. Courses de bateaux à voiles. 4. Bateaux à voiles - Canada - Histoire. I. Backman, Phil. II. Titre.

VM395.B5B314 1997   387.2'2   C97-940628-5

Titre original: *Bluenose*
© 1965 by Brian and Phil Backman

Traduit de l'anglais par:
Alain Contant

Édition française:
© 1997 Les éditions JCL inc.
930, rue J.-Cartier Est, CHICOUTIMI (Québec) G7H 7K9

Publié avec l'autorisation de:
McClelland and Stewart Inc.
481, University Avenue, TORONTO, (Ont.) M5G 2E9

Au colonel Sidney C. Oland,
un Néo-Écossais émérite,
sans qui le **Bluenose**
ne serait qu'un souvenir.

C'était le *BLUENOSE*

Cette toile superbe rappelle une scène à jamais disparue...
Deux goélettes de Nouvelle-Écosse, poussées par un vent arrière, reviennent du Banc
de Terre-Neuve dans une course folle et joyeuse vers leur port d'attache – le Bluenose,
souverain de l'Atlantique, est au vent. Les contours de son incomparable coque,
sa fière étrave se soulevant d'un air provocant et ses hautes voiles lançant un défi à l'ami ou
à l'adversaire, immortalisés par l'artiste...

REMERCIEMENTS

La recherche des informations nécessaires à la publication de ce livre a commencé quelques années avant sa rédaction. Malgré toute notre affection et notre admiration à l'endroit du Bluenose, *nous étions déterminés à présenter un historique honnête et factuel de sa carrière, ainsi qu'un compte rendu objectif de chacune des régates au cours desquelles il a d'abord regagné le titre pour ensuite le défendre avec succès. En cas de doute sur les règlements de course, sur les décisions des officiels et sur les actions des équipages et des capitaines, nous avons consulté avec soin toutes les sources d'information connues. Nous avons à cette fin interrogé de nombreuses personnes et compulsé d'innombrables reportages sportifs de manière à les mettre en corrélation. L'espace est insuffisant pour en dresser une liste complète, mais nous aimerions exprimer notre reconnaissance particulière aux personnes suivantes.*

Au capitaine Angus Walters, pour avoir porté une attention soigneuse et patiente à toutes nos demandes et pour avoir pris le temps de relire le texte et d'y corriger les erreurs; à Sterling Hayden, acteur et auteur de Wanderer *(Alfred A. Knopf Inc.), dont les expériences à titre de membre de l'équipage du* Gertrude L. Thebaud *nous a apporté des informations inestimables; à Eric Hamblin, pour ses critiques constructives, et à Bruce Law, pour ses précieux conseils artistiques; et à un très grande nombre de Lunenbourgeois et d'anciens membres de l'équipage du* Bluenose, *notamment le constructeur Fred Rhuland, le capitaine Lawrence Allen, M. Moyle Smith, le regretté Loren Geldert, secrétaire de la ville de Lunenburg, les constructeurs navals John Rhuland, Dan MacIsaac, Howard Faulkenham, le regretté Creighton Zinck et, dernier mais non le moindre, Solomon Morash, maître artisan et grand constructeur naval d'autrefois, dont les merveilleuses histoires étaient entretenues par la tradition orale 33 ans après sa mort.*

Nous sommes également reconnaissants à de nombreuses autres personnes, dont les suggestions, les conseils et les encouragements ont transformé en plaisir le difficile travail d'écriture.

Les reportages et comptes rendus du Halifax Herald *et du* Halifax Chronicle *ont constitué une précieuse source d'information et ont été consultés en profondeur.*

Pour les lecteurs désireux d'en savoir plus sur l'histoire du Bluenose, *nous recommandons la lecture du livre de Jerry Gilespie,* Bluenose Skipper *(Brunswick Press), par lequel ils seront, comme nous l'avons été, totalement captivés – et aussi* Schooner Bluenose *(Ryerson Press), du regretté Andrew Merkel, à qui nous sommes reconnaissants pour ses comptes rendus précis des diverses régates internationales de voiliers.*

Enfin, ce livre constitue un témoignage durable de l'art des photographes de Nouvelle-Écosse qui, avec le grand W. R. MacAskill, ont permis de constituer un magnifique album souvenir du Bluenose *et de sa réplique, le* Bluenose II. *Les crédits photographiques détaillés apparaissent à la page 111.*

LES AUTEURS

PROLOGUE

Le vieux charpentier naval avait lancé plus de bateaux que le nombre de ses années et leurs répliques en modèle réduit qu'il aimait bien fabriquer étaient d'honnêtes et hardis petits vaisseaux. Ils avaient une certaine allure rustique; les mains qui sculptent à la herminette la symétrie d'un mât de flèche ne sont pas toujours à leur aise dans les détails compliqués des modèles réduits. Il travaillait dans une remise, sous l'escalier de son arrière-cour, où il flottait une odeur de bois accentuée par la chaleur vive du poêle et l'arôme épicé des copeaux de pin pourrissant au sol. Le calendrier décoloré accroché au-dessus de son établi paraissait un peu bizarre, encombré qu'il était par des fils et des lusins, des grappes de minuscules palans et poulies, des poinçons, des marteaux, des boîtes de pointes et de broquettes, des rondelles,

des plans, des pochoirs, des pinceaux et le reste de l'attirail du modéliste.

Une autre image restait à suspendre. Encadrée et poussiéreuse, elle reposait devant lui, supportée par des pots de peinture. C'était une image en couleurs, représentant une coque de goélette aux lignes impeccables, voguant au près, le bordage sous le vent immergé, avec un grand os blanc entre les dents. Le nom peint sur sa proue était illisible. Et si l'image comportait une légende, elle était couverte par le cadre. Mais vous savez de quel bateau il s'agit. Aussi bien que lui.

«Ouais! Il y a plein de gens aux alentours qui ont toutes sortes d'idées saugrenues sur ce qui rendait cette goélette aussi rapide qu'elle était. Je suppose que je n'en sais pas plus et que peut-être certaines de ces idées sont justes», disait-il en entaillant le petit pont incurvé d'un modèle réduit.

«Pourtant, j'ai travaillé à ce navire, vous savez, et j'ai toujours pensé que son secret venait de ce que le froid avait fait à ses varangues. Voyez-vous, nous avons monté les varangues à l'automne de cette année-là. C'est alors que le gel s'est installé. Un matin, en particulier, il a fait très froid. Je pense que cela peut avoir calé les membrures – comme aucun homme n'aurait pu le faire. Vous savez, il faut bien que quelque chose ait rendu cette goélette le plus rapide de tous les bateaux construits à Lunenburg.»

Parfois, il saisissait le cadre et le posait près de vous en expliquant que le vieux Biggie Himmelman le lui avait donné il y a plusieurs années et qu'il avait toujours considéré que c'était la plus belle image de la goélette qu'il ait jamais vue. Avec son poinçon, il faisait remarquer l'angle bizarre du profil de son étrave et soulignait la formidable longueur de sa grand-bôme.

Et il ajoutait: «Je vais vous dire quelque chose. C'était une honte que de le laisser partir. On n'aurait jamais dû, vous savez. C'est la chose la plus stupide qui se soit jamais produite – quoique je suppose qu'il aurait quand même disparu un jour ou l'autre. Ça doit bien faire une vingtaine d'années.»

Vingt années suffisent pour atténuer le souvenir des navires, à moins qu'ils aient fait leur marque par de grandes batailles ou une horrible tragédie. Pourtant, l'héritage laissé par une grande goélette de pêche construite à Lunenburg – le *Bluenose* – est tel que son nom est toujours près des lèvres des marins du monde entier.

Conçue et construite avec finesse, elle a navigué dans la gloire et elle est morte dans l'ignominie. Elle était prisonnière de son destin bien avant cette nuit où on lui fila le corps-mort pour la dernière fois dans le port de Lunenburg. Elle a laissé un souvenir trop présent pour devenir une légende, mais pas assez pour remplir le vide dans les cœurs des citoyens de la ville qui l'avait conçue, puis adorée.

C'est aujourd'hui bien différent dans cette calme ville portuaire de l'Atlantique. Ce n'est plus comme avant, à l'époque où la simple mention de la goélette rendait tristes les gens de Lunenburg. La fierté de son nom, toujours présente, est désormais plus joyeuse – comme réhabilitée. Et il y a de quoi. Lorsque les goélands et les tintements du clocher de l'église s'élèvent au-dessus de la ville par un dimanche d'automne, vous pouvez vous rendre à l'église en sachant qu'au sommet de la colline, en vous retournant, vous pourrez voir deux mâts de flèche surplomber les toits des maisons du quai. Et, qu'il y ait ou non du sel dans votre sang, vous en aurez le souffle coupé.

Les navires, une fois perdus, ne reviennent jamais au port. Pourtant, le *Bluenose* l'a fait. La goélette est revenue à cause d'une mémoire puissante – bien plus puissante encore que les dents d'un récif haïtien.

INTRODUCTION

Par un jour d'été de 1960, un journaliste de la Presse canadienne fut envoyé à Lunenburg, Nouvelle-Écosse, afin de couvrir un événement inhabituel pour le compte de l'agence nationale. Le chantier naval Smith & Rhuland lançait ce jour-là le *Bounty*, une réplique plus grande que l'original du navire à gréement carré du XVIIIe siècle. On se souvient que son capitaine, William Bligh, avait dû faire face à la célèbre mutinerie. Sa construction, commandée par la Metro Goldwyn Mayer de Hollywood, constituait la première reproduction d'un navire d'époque, de la quille jusqu'aux mâts, dans le seul but de lui faire jouer le rôle titre du film *Mutiny on the Bounty*.

Pour sa première affectation, le journaliste disposait d'un sujet captivant, mais pas nécessairement facile. On lui avait demandé de trouver un angle différent, de ne pas se limiter à l'aspect publicitaire de l'événement. Finalement, ce qui paraissait difficile se révéla au contraire très facile. L'angle différent ressortait partout, à travers les commentaires mélancoliques des Lunenbourgeois: «Si seulement c'était le *Bluenose*!»

L'article de Brian Backman, titré «Lunenburg lance le *Bounty* – À quand le *Bluenose*?», souleva l'intérêt à plusieurs endroits, y compris chez son père. Né à Lunenburg, Phil Backman sentait qu'il fallait que quelqu'un transforme ce qui n'était qu'un désir vague en action constructive. Il mit en branle une campagne qui donna lieu à des rencontres publiques et à des réunions de comités afin d'étudier sa faisabilité. Alors que son projet était tour à tour source de déception ou de victoire, Phil Backman s'efforça de réunir les parties intéressées afin qu'elles entreprennent une action commune.

La parution d'un reportage de Brian Backman – «Le retour du *Bluenose*» – dans l'*Atlantic Advocate* ajouta de l'huile sur un feu qui s'embrasait déjà et qui allait s'éteindre, deux ans plus tard, lorsque la réplique du *Bluenose* glisserait à la mer de la même manière qu'était née la grande goélette de pêche.

Le reportage de l'*Atlantic Advocate*, adapté et intitulé pour ce livre «La fierté d'un port», met en lumière avec beaucoup de couleurs la légende du *Bluenose*. Comment une goélette de pêche a inspiré l'affection d'une nation, comment sa mémoire est restée vivante dans une ville qui a si longtemps rayonné de sa gloire, comment la volonté indomptable de certains lui a permis de voguer à nouveau – tout cela raconté par quelqu'un qui, comme son père, avait fait du retour du *Bluenose* une véritable cause.

Jack Brayley,
Directeur pour l'Atlantique.
La Presse canadienne, Halifax

LA FIERTÉ D'UN PORT

La célèbre goélette *Bluenose*, jadis le meilleur bateau de course canadien, a coulé au large d'Haïti, a-t-on annoncé ce soir à ses propriétaires.»

Pour plusieurs Canadiens, la voix sèche et sans émotions de l'annonceur de radio, en ce triste après-midi de la fin du mois de janvier 1946, sonnait le glas d'une époque.

Pour l'historien, il s'agissait du dernier chapitre de l'âge de la voile, mais pour la plupart, la disparition du *Bluenose* avait le même effet que le décès d'un homme d'État aimé et respecté. Il était revenu si souvent à son port de Lunenburg, en Nouvelle-Écosse, ramenant avec lui la fierté et l'honneur à une nation qui se reposait entre le tumulte de deux guerres mondiales. Au lendemain de la seconde de ces guerres, on l'avait oublié. Maintenant, il était disparu. Il s'était brisé sur un récif de corail et, abandonné, on l'avait laissé pourrir dans des eaux étrangères à son élégante coque.

L'annonce était factuelle – presque laconique – mais elle relatait la disparition d'un souverain dans des circonstances sordides. On l'avait vendu. On l'avait condamné à se traîner entre les îles des Antilles, privé de ses mâts et de la superbe de ses voiles gonflées, alourdi par des cargaisons de bananes et de rhum. Quelle triste ironie!

Plusieurs considéraient qu'il était honteux qu'un bateau aussi gracieux soit disparu à jamais. Mais la goélette était vieille, elle avait magnifiquement joué son rôle et sa perte était inévitable.

Le *Herald* de Halifax exprima le sentiment éprouvé: «Sa disparition est une peine nationale; l'ignominie de sa mort, une honte nationale.»

Le Canada était harcelé par sa conscience, honteux de sa trahison. Au moins, en 1937, une pièce de 10 cents avait été frappée à l'effigie de la goélette, tandis que le timbre *Bluenose* de 1929 était considéré par plusieurs philatélistes comme «le plus beau

Le mardi 26 mars 1921: La flotte est au port et les pavillons ondulent au vent alors que les résidants du port de pêche de Lunenburg, Nouvelle-Écosse, sont rassemblés au chantier naval Smith & Rhuland pour le lancement d'une goélette, le Bluenose. Tout lancement de navire donne lieu à des festivités, mais les anciens ne peuvent s'en remémorer aucun ayant suscité autant d'intérêt et de joie. Le Bluenose a immédiatement glissé dans le port, puis il a été remorqué jusqu'au bassin d'armement. Moins d'un mois plus tard, il était prêt à prendre la mer.

timbre au monde». Ces deux hommages apportaient au moins un certain apaisement. L'histoire du *Bluenose* paraissait achevée. Les sculpteurs sur bois et les artistes continueraient à s'inspirer de sa silhouette, les modélistes peindraient de temps à autre le nom du *Bluenose* sur la proue d'un modèle réduit et on continuerait à se raconter l'histoire de la goélette. Finalement, le *Bluenose* avait sombré dans l'oubli qui est le destin de toutes les grandes sagas – c'est du moins ce qu'on pensait.

Toutefois, dans une petite partie du Canada, aucun mémorial ne pouvait être satisfaisant. À Lunenburg, le port qui l'avait vu naître, rien ne pouvait apaiser le mal profond engendré par ce qui semblait être une effroyable injustice. Le *Bluenose* était né comme un pur-sang sous les soins attentifs d'habiles constructeurs de navires dans la vieille ville de la Côte Atlantique, et on l'avait vendu comme cheval de labeur. Au moins, dans son port d'attache, la goélette ne serait pas oubliée, même si les Lunenbourgeois devaient surtout se blâmer eux-mêmes. Ce sont eux qui l'avaient vendue. Maintenant, ils pleuraient sa perte.

Quatorze ans plus tard, la ville de Lunenburg associait de nouveau son nom à celui d'un célèbre navire. À partir du début de mai 1960, le chantier naval Smith & Rhuland devint le théâtre d'une activité presque incessante, alors qu'une réplique du *Bounty*, le célèbre navire britannique, prenait forme sur la cale. Elle devait servir au tournage d'une nouvelle version hollywoodienne de la classique trilogie de Nordhoff et Hall sur les mutins du *Bounty*. De nombreux touristes visitaient chaque jour le chantier pour observer les charpentiers qui incurvaient les planches traitées à la vapeur autour des grandes varangues d'une réplique de 400 tonneaux du vaisseau du capitaine William Bligh. Enfin, par un samedi de la fin du mois d'août, les dignitaires, les invités et une dizaine de milliers de spectateurs envahirent le chantier pour voir le *Bounty* glisser dans les eaux de l'Atlantique.

Ce jour-là, l'âme d'une ville se réveilla avec fracas. Des étrangers se tapaient sur les épaules en disant: «Quelle journée!» Pourtant, il ne s'agissait pas entièrement de la journée du *Bounty*; malgré sa beauté, la nouvelle réplique brillait en partie de la gloire d'un autre. Son lancement était honoré par la présence évidente d'un fantôme. Alors que l'on entendait les ouvriers soulever la coque et faire tomber les étais pour lancer le *Bounty* vers la mer, un sentiment spontané s'éveilla et balaya la foule rassemblée: «Ce pourrait être le *Bluenose*!»

En 1920, le regretté propriétaire du *Herald* et du *Mail* de Halifax, le sénateur William H. Dennis, avait offert une coupe en argent massif – le trophée de l'International Fishermen's – pour stimuler la compétition entre les goélettes. Il ne suffisait pas aux navires d'être rapides, puisque les règles d'admissibilité stipulaient que les participants devaient être des bateaux de travail capables d'exploiter les bancs de pêche au milieu des tempêtes de l'Atlantique.

Au cours de la première course, qui eut lieu la même année au large de Halifax, le trophée fut remporté par un voilier américain, l'*Esperanto*, et le porte-couleurs de Lunenburg, le *Delawana*, fut défait. Pour les pêcheurs locaux, le fait de voir un participant américain remporter la coupe en argent constituait une humiliation pour leur flotte. Il fallait ramener la coupe à la maison. On forma une association de propriétaires de navires et d'autres personnes intéressées et on confia à un jeune architecte naval de Halifax, déjà reconnu pour ses yachts rapides, le mandat de concevoir un voilier capable de gagner des courses et d'être un valeureux bateau de pêche.

Le défi n'était pas facile à relever, mais William J. Roue proposa des plans qui furent acceptés par le comité. Après un hiver de travail, la goélette de 143 pieds était lancée au chantier de R. W. Smith et G. A. Rhuland. Les personnes présentes à son lancement, le matin du 26 mars 1921, tout comme celles qui avaient vu sa coque prendre forme, furent impressionnées par sa silhouette élancée et plongeante. On baptisa la goélette le *Bluenose* et le navire se joignit aux flottes maritimes du monde.

La goélette était construite presque exclusivement avec du bois de la Nouvelle-Écosse, par des artisans néo-écossais, et rares étaient ceux qui doutaient que ce produit de leur art allait être une source de fierté.

Angus Walters avait été désigné pour être son capitaine. Homme de petite taille à la repartie vive, il était un leader sur sa goélette gîtée et on l'appréciait pour sa propension à naviguer toutes voiles dehors et à foncer dans les vagues. Il avait fait son premier voyage de pêche en 1895, à l'âge de 13 ans, sur la goélette de son père. Il avait appris durement son métier en pratiquant la pêche et la navigation commerciales aux Antilles, prenant la barre sous la gouverne de son père lorsqu'il n'était pas de quart, faisant la course aux autres doris pour aller chercher des appâts au quai et développant en lui cette volonté «d'être au moins un aussi bon marin que n'importe quel autre homme». À la barre du *Gilbert B. Walters*

La flotte de goélettes au mouillage dans le port de Lunenburg offre un tableau parfait du calme d'un refuge sûr, ne donnant aucun indice des conditions difficiles que doivent affronter presque quotidiennement les bateaux de pêche et leurs équipages.

lors de la première course de qualification, il aurait très bien pu remporter l'épreuve s'il n'avait perdu son mât de flèche dans la dernière étape.

Le *Bluenose* ne déçut point ses protecteurs. Lors des courses suivantes, la goélette humilia tous ses opposants. La liste des vaincus constitue une épitaphe à la gloire du navire qu'ils ne pouvaient vaincre: *Elsie, Henry Ford, Columbia, Gertrude L. Thebaud.* Il s'agissait de challengers américains, dont trois avaient été conçus spécifiquement par les meilleurs architectes navals pour venir à bout du vigoureux petit capitaine. Une dizaine de goélettes de Nouvelle-Écosse s'y étaient essayées aussi, mais elles furent reléguées à la deuxième place ou à pire.

Le *Bluenose* était devenu le champion incontesté de la flotte de pêche de l'Atlantique Nord et il allait toujours conserver cet honneur.

Mais le *Bluenose* était plus qu'un voilier de course! Ceux qui l'ont approché affirment que ses formes agiles étaient habitées par une âme, par une sorte d'esprit infatigable. C'était un excellent bateau de pêche, qui détient toujours le record de la plus importante prise jamais ramenée à Lunenburg. Cependant, on aurait dit que la goélette savait que, après le déchargement des poissons, elle serait préparée et coiffée de ses mâts de flèche pour participer à une nouvelle course. Au son du coup de revolver, elle

semblait devenir vivante et attendre avec impatience l'ordre qui lui permettrait d'abandonner l'arrogant challenger dans son sillage. La foi des Lunenbourgeois dans l'âme de leur goélette était spontanée et non pas destinée à enrichir une légende qui grandissait. Promenez-vous sur les quais de Lunenburg de nos jours, peut-être un dimanche matin, et demandez au premier pêcheur venu de vous parler du *Bluenose*. Il allumera sa pipe, contemplera la mer quelques instants et vous racontera avec une fierté non dissimulée le courage de ce petit navire.

L'époque à laquelle les goélettes se faisaient la course chargées de poisson frais à partir du Banc de Terre-Neuve jusqu'à leur port d'attache était une époque peuplée de dangers. Des menaces de problèmes ou de désastres planaient continuellement au-dessus des pêcheurs en haute mer et l'on comptait de trop nombreux enfants privés de leur père ou de leurs frères. La disparition d'une goélette corps et biens était chose fréquente. Quelles que fussent les circonstances, de nombreux navires étaient victimes de la mer. Mais ce fut la négligence, et non la mer, qui devait entraîner la perte du *Bluenose*. Plusieurs fois au cours de sa carrière, la goélette avait démontré sa capacité à supporter le pire de ce que le vent et les vagues pouvaient lui offrir.

Au cours du premier voyage de pêche du *Bluenose*, Walters vit un bâtiment toutes voiles dehors s'approcher au point qu'il devenait évident que la goélette allait

Les goélettes sont au mouillage dans le port de Lunenburg par un beau dimanche matin... Un rare moment de repos entre deux voyages de pêche sur le Banc de Terre-Neuve ou entre deux transports de marchandises vers les Antilles.

*W. J. Roue, de Halifax, l'architecte naval autodidacte
qui a conçu le* Bluenose.

être éperonnée par le milieu. Malgré les appels de la cloche et de la corne de brume, l'étrange vaisseau ne modifiait pas son cap. Walters et son équipage sautèrent finalement dans leurs doris et, ramant le long du navire inconnu, lui crièrent de s'éloigner. Il paraissait certain que le *Bluenose* allait être coupé en deux et pourtant il s'en tira. Pourquoi? Comment? Ces questions demeurent sans réponse à ce jour, car le navire inconnu n'a pas changé de cap et n'a évité le coursier de Lunenburg que de quelques pouces.

Le *Bluenose* a une nouvelle fois failli connaître la catastrophe au large de l'île de Sable en 1926. Ancrée au large d'une côte sous le vent du Cimetière de l'Atlantique, la goélette fut frappée par ce qu'Angus Walters a décrit comme étant «une mer de grand-père». Le capitaine et les 20 membres de l'équipage firent l'impossible pour la maintenir nez au vent, mais la goélette fut poussée, le câble d'ancre se sectionna, 14 chandeliers cédèrent et une partie de la lisse et du bastingage fut emporté. Mais même l'île de Sable n'a pu ajouter le *Bluenose* à la liste de ses victimes.

«Le *Bluenose* a continué à faire face, remontant lentement au vent, raconte le capitaine Walters, qui était resté à la barre pendant les six heures qu'avait duré la bataille. Je ne sais pas si un autre bateau aurait pu le faire!»

En 1930, la goélette s'échoua sur les rochers de la baie Placentia, à Terre-Neuve. Pendant quatre jours, elle supporta les bourrasques dévastatrices qui emmêlaient ses gréements et entraînaient ses embarcations de sauvetage par-dessus bord. Le *Bluenose* survécut encore.

Cinq années plus tard, le *Bluenose* força l'admiration d'un roi et, selon les annales de l'Atlantique, connut son plus difficile triomphe – peut-être son plus grand. L'Angleterre célébrait le jubilée d'argent du roi Georges V et de la reine Marie. Le *Bluenose* avait été désigné comme le représentant officiel du Canada à l'événement. La goélette fit une traversée rapide de 14 jours entre Lunenburg et Plymouth. Le port, témoin de la célébrité que ses exploits lui avaient gagnée dans cette île de marins et qui avait vu Drake partir à la rencontre de l'Armada espagnole, réserva à la goélette de Nouvelle-Écosse un accueil chaleureux et enthousiaste. Les yachtmen de Cowes, sur l'île de Wight, l'accueillirent avec le même enthousiasme, et le *Bluenose* était présent à Spithead lorsque le roi Georges fit la revue de sa flotte pour une dernière fois.

La présence de la goélette de pêche de Lunenburg parmi les navires de guerre fut remarquée par le roi. Peu après la revue, Angus Walters était invité à se rendre à bord du yacht royal, le *Victoria and Albert*. Il y fut reçu par le roi et par trois de ses fils – le prince de Galles, le duc d'York et le duc de Kent.

«C'était un type ordinaire et très gentil, racontait plus tard Angus au sujet du monarque, quoique – si je peux me permettre – je l'ai trouvé un peu frêle. Eh bien, nous avons causé un bout de temps. Il avait entendu parler du *Bluenose* et il voulait en savoir plus sur la pêche au hareng. C'est alors que le prince de Galles, Édouard, s'est penché vers lui pour lui expliquer que nous pêchions la morue et non le hareng. Il m'a ensuite demandé de me placer près de lui pendant qu'on prenait une photo. Il a dit que c'était malheureux que je ne puisse me rendre à Londres pour la voir sur l'écran. Nous avons encore causé un peu, et puis je suis retourné sur le *Bluenose*.»

Plus tard, le roi fit parvenir un message indiquant qu'il viendrait à bord pour inspecter la goélette. Cependant, Angus fut par la suite avisé que le roi avait été rappelé à Londres d'urgence et qu'il adressait ses regrets au capitaine de Lunenburg.

«Ça m'a un peu déçu, racontait Angus. Je n'avais pas apporté d'alcool à bord au cours de ce voyage, mais comme le roi avait dit qu'il allait venir, je l'ai pris au mot et j'ai décidé que je devrais lui offrir un verre. J'ai pensé qu'il avait sans doute des préférences personnelles et j'ai envoyé quelqu'un acheter une bouteille de whisky King George.»

Il était prévisible qu'un navire aussi célèbre ne pourrait échapper à un défi sportif; c'est pourquoi le capitaine Walters accepta de participer à une course contre plusieurs yachts britanniques, dont une goélette racée nommée le *Westward*. Le parcours faisait le tour complet de l'île de Wight. Tous s'accordaient pour dire que le *Bluenose* n'avait aucune chance, puisque l'élégant *Westward* était un véritable coursier, gréé d'un foc en l'air géant et de voiles de compétition. Le *Westward* s'engagea dans la Manche juste avant que la marée ne vienne ralentir la course du *Bluenose*.

«Bien sûr, ils nous ont battus, rappelait Angus, mais malgré tout le *Bluenose* leur a donné du fil à retordre.»

Sa mission couronnée de succès ayant pris fin, le *Bluenose* largua ses amarres à Falmouth pour retourner à son port. Le premier jour, à la tombée de la nuit, le vent se leva. Pendant les quatre jours suivants, le vent et la mer se déchaînèrent. Avec simplement la grand-voile et la voile tempête, le navire prenait l'eau au rythme de 30 coups de pompe à l'heure. Angus réduisit la voilure, puis, le navire s'enfonçant à l'arrière, il amena les voiles et se mit en panne.

Matelot de goélette à l'âge de 13 ans,
Angus J. Walters a conduit le Bluenose *à la gloire.*

Tandis que le *Bluenose* tanguait et roulait à 150 milles de Falmouth, un de ses 10 passagers réussit à faire fonctionner le gramophone. Si le passager voulait que la chanson fasse quelque diversion, la tempête pour sa part y vit un défi. Dès que les premières notes de «Anything Goes» filtrèrent de sous le pont, la plus grosse mer qu'Angus Walters eût jamais vue – une vague déferlante géante et au poing d'acier – se souleva dans la nuit et s'abattit de travers sur la goélette de 14 ans.

Pour la première fois de son existence, le *Bluenose* se renversa, l'entrepont envahi par des tonnes d'eau. D'un seul coup, l'océan avait arraché les deux embarcations de sauvetage, le compartiment moteur du pont, la bôme de misaine et les mâchoires de la grand-bôme; la cuisine était déracinée et le bastingage de bâbord avait disparu. Pendant les minutes que le *Bluenose* demeura renversé, Angus perdit tout espoir de le voir survivre. Cependant, le champion ébranlé se redressa lentement et avec peine. La vague avait ouvert une voie d'eau à bâbord. Angus rassembla l'équipage et les passagers masculins pour soulever le plancher et déplacer des pièces de fonte afin de lester l'avant du navire.

Les passagers du *Bluenose* furent émerveillés de voir que, même au plus fort de la tempête, leur capitaine émérite prenait le temps de descendre les rencontrer, d'excellente humeur et plaisantant pour les distraire de la situation difficile qu'ils vivaient. Finalement le vent tomba. Angus ramena son bâtiment blessé vers la Manche. Il jeta l'ancre à Plymouth Sound une semaine après avoir quitté Falmouth. À l'exception des quatre premières heures du voyage, la grand-voile était restée serrée. L'un des passagers, un vétéran de 17 ans dans la marine, se souvenait de la tempête comme de la plus terrible mer qu'il eût rencontrée et reconnaissait que sa vie avait été sauvée par la compétence d'Angus Walters et par les qualités incroyables de sa magnifique goélette. Comme le disait Angus lui-même: «Je n'ai jamais été plus fier d'elle.»

Les Lunenbourgeois se souviennent encore d'un matin ensoleillé de septembre, pendant l'Exposition des pêcheurs, à l'époque où la goélette était au sommet de sa carrière et que des spectateurs se massaient sur les quais pour regarder les régates. Derrière le phare à l'entrée du port, quatre jeunes goélettes se disputaient la dernière étape d'une épreuve officielle. Tout à coup, une cinquième goélette se profila au-delà d'un cap. Il ne fallut qu'un instant pour que quelqu'un reconnaisse la silhouette familière et crie «Le *Bluenose*!», attirant ainsi l'attention de la foule.

Cette photo rare montre le Bluenose *en cale sèche alors qu'on nettoie et repeint sa coque en prévision de la compétition de 1931 contre un navire de Gloucester, le* Gertrude L. Thebaud. *L'homme sur la gauche est son capitaine, Angus Walters.*

*Sur la même cale de Lunenburg,
32 ans après que la photo de la page précédente eut été prise,
un nouveau* Bluenose *se prépare à son premier voyage.
En comparant les deux vues avant,
on constate la parfaite similarité du*
Bluenose *et de sa réplique.*

La goélette était en retard pour les festivités et revenait du Banc de Terre-Neuve chargée de poissons. Ses mâts de flèche n'étaient pas gréés et sa ligne de flottaison était très haute. Walters fit immédiatement hisser toutes les voiles disponibles et se joignit à la course vers le port.

À ce moment, votre pêcheur du dimanche matin n'en dira guère plus; il tirera sur sa pipe, contemplera à nouveau l'horizon au-delà du port désert, se souvenant peut-être des cris et des bravos de la foule lorsque, ce jour-là, le *Bluenose,* lourdement chargé, traversa la ligne d'arrivée plusieurs minutes devant son plus proche rival.

C'était le bon temps! À l'été de 1933, le *Bluenose* mit de côté son équipement de pêche et se dirigea vers le lac Michigan en tant que représentant du Canada à l'Exposition de Chicago «Un siècle de progrès». Pendant tout le reste de la saison, les pas de milliers de visiteurs admiratifs résonnèrent d'un hommage sonore sur le pont de la célébrité nautique. Un article de journal de 1938, rapportant une autre victoire du *Bluenose,* raconte à sa manière le sentiment que la goélette inspirait. «Les marins de Lunenburg accueilleront le Souverain des mers lorsqu'il rentrera au port, rapporte l'article. Une demi-journée de congé sera accordée aux élèves, tandis qu'un défilé de fanfares et de voitures décorées accompagnera le capitaine Angus et son fier équipage à travers les rues de la ville.»

Mais le Canada et les États-Unis devenaient préoccupés par la guerre; il ne restait plus guère d'intérêt pour les courses de goélettes. La bataille des sous-marins faisait rage, les perspectives de pêche dans l'Atlantique étaient douteuses et le moteur diesel remplaçait la voile.

Angus Walters avait depuis longtemps ouvert une laiterie dans la ville et le *Bluenose* n'était plus l'ombre de lui-même avec un capitaine substitut. De plus, le navire commençait à accumuler les dettes; les gros moteurs installés trois ans auparavant n'étaient pas encore payés. Le *Bluenose* était la propriété des actionnaires de la Bluenose Schooner Company et ils devaient en assumer personnellement les pertes. L'intérêt et le sentiment étaient masqués par les préoccupations guerrières de la nation. Il n'y avait qu'une seule solution: vendre le *Bluenose* aux enchères. Alors, une heure avant que la reine de la flotte ne fût mise en vente, Angus Walters tendit 7 000 $ à l'encanteur.

«Je fais toujours confiance au *Bluenose,* a-t-il dit, et je crois que c'est une honte que les citoyens de Lunenburg et de Nouvelle-Écosse permettent sa mise

Howard Faulkenham et Dan McIsaac (ci-dessus), deux constructeurs de navires ayant participé à la construction du Bluenose.

aux enchères. Je continuerai de protéger le *Bluenose* avec tout ce que j'ai, car il m'a servi trop fidèlement pour que je l'abandonne.»

Mais ses jours étaient déjà comptés et le *Bluenose* attendit, amarré à un quai, jusqu'en 1942. La West Indies Trading Company avait besoin de voiliers rapides et légers pour transporter des marchandises entre les îles des Antilles et elle fit une offre pour acquérir la goélette.

Walters, qui détenait le plus important bloc d'actions, n'avait guère le choix. Les efforts qu'il avait déployés pour recueillir des fonds afin de préserver le *Bluenose* n'avaient rien donné, même auprès de ses concitoyens de Lunenburg, qui se désintéressaient du sort de leur célèbre navire. Le *Bluenose* allait subir une dernière humiliation. Dépouillé de ses voiles, cargo il finirait ses jours.

Angus se souvenait du jour de son départ comme d'un moment très pénible.

«J'ai vu sa silhouette par une journée couverte du mois de mai. J'avais la gorge serrée. Quelque part, je savais que c'était un adieu. Nous avions tant fait ensemble, par beau temps comme par mauvais temps, que le *Bluenose* était comme une partie de moi-même.»

Ses anciens rivaux américains étaient pour la plupart disparus, eux aussi, et les autres n'allaient pas tarder à le faire. Aucun n'a survécu assez longtemps pour être mis à la retraite. Le *Mayflower* fut équipé d'un troisième mât peu avant sa disparition; l'*Esperanto* périt dans les griffes de l'île de Sable; le *Columbia* coula au même endroit en amenant avec lui son équipage; le *Henry Ford* sombra au large de Martin Point, Terre-Neuve; et l'*Elsie* fut englouti au large de Saint-Pierre.

Le *Gertrude L. Thebaud*, une goélette de Gloucester, avait été le principal rival du champion. Ironiquement, il a disparu non loin du lieu de sépulture du *Bluenose*.

Cependant, la mémoire a la vie dure, surtout chez les Lunenbourgeois! Dix-huit ans plus tard, ils étaient toujours chagrinés d'avoir condamné leur navire adulé. Il leur semblait que l'histoire du *Bluenose* exigeait d'eux amende honorable. Il ne manquait plus qu'un événement fortuit pour leur indiquer la voie – et cet événement fut le lancement du *Bounty*.

«Pourquoi ne pas construire un autre *Bluenose*?» L'idée n'était pas nouvelle, mais la construction du *Bounty* lui donnait une autre allure. On avait la preuve que c'était réalisable. On pouvait faire mieux que d'écrire une simple épitaphe. On pouvait ramener la goélette à son port. Évidemment, il ne s'agirait pas du véritable *Bluenose*, mais ce serait une façon satisfaisante de le voir revenir combler l'immense vide qu'il avait laissé dans le port et dans les cœurs. L'imagination de la ville était débridée!

La mienne aussi, et je me suis rendu à Lunenburg, au beau milieu de cet emballement collectif pour un navire, afin de rencontrer des personnes qui l'avaient connu (car il y en avait beaucoup). Je voulais parler aux artisans qui l'avaient construit 40 ans plus tôt, de même qu'à ceux qui avaient navigué et pêché à son bord. Je me suis aussi rendu à Dartmouth, en Nouvelle-Écosse, pour parler à celui qui avait conçu le champion.

Le concepteur du *Bluenose*, alors âgé de 85 ans, vivait dans une grande maison verte en bois non loin du quartier des affaires de Dartmouth. Je l'y ai trouvé, penché sur sa table à dessin, dans un studio à l'arrière de la maison. Peut-être la création de magnifiques bateaux cache-t-elle un secret de jouvence; si c'est le cas, Roue l'avait découvert. Le célèbre architecte naval paraissait, à tous les points de vue, la moitié de son âge.

Le centre du petit studio était occupé par une grande table à dessin autour de laquelle étaient sus-pendues, à chacun des murs, de nombreuses photo-graphies de yachts de course et de goélettes ainsi que quelques plans encadrés. Étrangement, le *Bluenose* n'occupait pas une place privilégiée dans cette galerie. Il n'y était représenté que par un relief de coque verni, un vieux calendrier et une petite photo. Aux yeux de Roue, c'était normal. Il avait aimé le *Bluenose*, mais il avait autant aimé chacun des élégants voiliers dont les représentations or-naient la pièce.

L'histoire de Roue est aussi extraordinaire que celle du *Bluenose*, puisqu'il n'a reçu aucune for-mation officielle. Il a commencé à construire des bateaux à partir de bardeaux à l'âge de cinq ans: des répliques des navires qu'il voyait par sa fenêtre à Halifax. Après qu'il eut quitté l'école secondaire (à cause d'un désaccord avec son professeur au sujet de la prononciation d'un terme marin), on lui offrit un livre qui contenait toutes les connaissan-ces de l'époque sur l'architecture navale. Il s'agissait de *Yacht Architecture* de Dixon-Kemp,

Entre les mains d'habiles charpentiers, les vastringues, les planes et les rabots façonnent une pièce de sapin de Douglas de 90 pieds de longueur pour lui donner la forme, les proportions et le poids requis afin qu'elle devienne le grand mât du Bluenose II.

Un bon vent du sud-est taquine les goélettes au mouillage tandis que le Bluenose, *voilé pour la compétition, quitte le port de Lunenburg. À l'avant-plan, on reconnaît le chantier naval Smith & Rhuland, où une nouvelle goélette est en construction sur la cale qui a vu naître le* Bluenose.

que le jeune concepteur en devenir assimila dans ses moindres détails.

Lorsque le comité du *Bluenose* lui demanda de concevoir une goélette rapide, Roue ne fut pas pris au dépourvu. En 1910, il avait déjà conçu un sloop de course, le *Zetes*, qui avait remporté plusieurs régates de l'époque, dont la coupe Wenona, la coupe Prince de Galles et la coupe du Royal Engineers' Yacht Club. Plus tard, un coup de vent allait faire échouer le *Zetes* à Greenbank, en Nouvelle-Écosse, où sa carcasse a pourri. Mais le *Zetes* avait une plus grande destinée que celle d'être un voilier rapide; il allait devenir le père du *Bluenose*. Roue s'inspira du design du petit sloop pour dessiner les plans que le comité devait accepter pour la goélette.

Lorsque je suis allé à Lunenburg, j'ai parlé à Fred Rhuland qui, avec son frère John, avait repris de son père la direction du célèbre chantier naval. Fred estimait le coût d'un deuxième *Bluenose* à 200 000 $. Le prix comprenait des moteurs, car le navire devrait se conformer aux normes de sécurité et être en mesure de s'éloigner d'une tempête s'il était surpris avec des touristes à son bord.

Au moment de ma visite, Roue avait entendu parler du projet.

«Vous savez, m'a-t-il dit, cela ne m'étonnerait pas de les voir construire un autre *Bluenose*. C'était une honte que d'avoir laissé partir le premier! Après tout, les visiteurs cherchent encore le *Bluenose* à Lunenburg. Si c'est ce qu'ils veulent, ils devraient être capables de voir à quoi il ressemblait.»

Le commentaire de Roue était sensé. Le capitaine Spurgeon Geldert, qui avait navigué avec Walters sur le *Gilbert B. Walters*, était maintenant responsable du Centre d'information touristique de Lunenburg. Il m'a avoué que sur un grand total de 7 000 touristes canadiens et américains ayant visité Lunenburg, l'été précédent, un très grand nombre était venu expressément pour voir le *Bluenose*.

«C'est étonnant de constater combien de personnes ignorent qu'il n'est plus ici, disait-il. Les gens savent que c'est son port d'attache et ils viennent pour le voir. Ils sont généralement très déçus, surtout quand je leur raconte ce qui lui est arrivé – qu'on l'a vendu pour faire du transport de marchandises.»

«Il n'y a pas de doute, ajoutait-il, presque tous les visiteurs veulent voir le *Bounty* et ils sont bien heureux de le visiter. Avec le *Bluenose*, nous aurions un atout de plus.»

Roue estimait que le prix établi par Rhuland était honnête. Le *Bluenose* avait coûté 35 000 $ et c'était un prix élevé pour l'époque, compte tenu du fait qu'une goélette normale coûtait environ 25 000 $ à construire. Selon lui, le nouveau prix était proportionnel à l'ancien.

«Ils ont déjà tenté de le copier, ajouta Roue. Ils ont construit le *Venture* à partir des plans du *Bluenose*, mais ils lui ont ajouté un mât. Il avait un peu trop de voilure.»

Le *Venture*, un bateau-école de la Marine canadienne, fut plus tard rebaptisé l'*Alfred and Emily*. Il prit feu et sombra au large des côtes de Terre-Neuve avec sa cargaison de charbon.

«Je parie que ce serait une excellente attraction touristique, continua-t-il. On pourrait même offrir des croisières à son bord. Avec une moyenne de 25 à 30 passagers par jour, le projet serait presque rentable.»

Personne n'a jamais su exactement pourquoi le *Bluenose* était aussi rapide. Il existe une multitude de théories que n'importe quel pêcheur peut commenter pendant des heures. Certains parlent d'un quelconque «mystère étrange» survenu pendant la construction et d'autres attribuent ses succès au talent du concepteur ou aux qualités de marin d'Angus Walters.

Il pouvait aussi s'agir de la ligne de sa coque ou du changement apporté au dernier moment au profil de son étrave, lorsque Walters jugea que le plafond du carré serait trop bas. Cela devint la marque distinctive la plus évidente de cette goélette – un angle accusé qui soulevait son beaupré vers le haut, le faisant pointer vers le ciel par gros temps.

On pouvait reproduire l'original selon les plans, au point qu'aucun terrien ni même aucun marin ne puisse voir la différence, mais pouvait-on lui transmettre cette vitesse magique?

«Un nouveau *Bluenose* construit d'après les plans du premier peut être aussi rapide et même plus rapide, fit observer Roue. Il n'y a pas vraiment de

Le long des quais de Lunenburg, les voiles de goélettes sèchent au vent.

mystère là-dessous. Bien sûr... le premier *Bluenose* était spécial.»

Il ouvrit un grand tiroir contenant des plans de navire et en sortit ceux du *Bluenose*. Nous les avons examinés ensemble. Peu après, je me préparai à quitter.

«J'ai eu de la peine pour Angus lorsqu'ils l'ont vendu, a-t-il ajouté sur le pas de la porte. S'ils en construisent un autre, j'aimerais bien pouvoir naviguer à son bord. Je parie qu'Angus aimerait bien cela aussi.»

Je savais que cela ne faisait guère de doute.

Je me rendis à Lunenburg le jour suivant pour rencontrer l'homme qui avait le mieux connu le *Bluenose*. Mais avant d'aller rencontrer le capitaine, j'ai marché jusqu'au chantier naval pour voir si je n'y trouverais pas certains des artisans qui avaient construit le *Bluenose* plus de 40 années auparavant. J'en ai découvert trois.

L'activité était fébrile sur le chantier. Le *Bounty* était amarré à son quai, rutilant comme un sou neuf avec sa coque bleu royal, et l'on se préparait à gréer son mât d'artimon.

J'ai demandé à un ouvrier où je pourrais trouver Dan McIsaac, l'un des constructeurs du *Bluenose*. «N'importe où, me répondit-il, mais si vous voulez vraiment le voir, c'est lui qui monte dans la voiture là-bas.»

Une minute plus tard, je roulais dans la ville en voiture avec Dan McIsaac. Il était pressé, m'a-t-il dit, et n'avait que très peu de temps pour causer. Cependant, lorsque j'ai prononcé le mot *Bluenose*, il s'est détendu et, après que nous fûmes arrivés au quai, il a réfléchi une minute et m'a dit, en me regardant: «Ah! le *Bluenose*. Quel merveilleux bateau c'était et quelle misère de l'avoir vu partir. S'ils veulent en construire un deuxième, il va falloir qu'ils s'y mettent. Le temps s'écoule et je crois que dans 10 ans il sera devenu impossible d'en construire un pareil. Il ne reste plus beaucoup d'anciens ayant participé à sa construction: seulement Howard Faulkenham, en bas près de la grande remise, John Rhuland – pas le frère de Fred, l'autre – et puis moi. Comprenez-moi bien. Je ne doute pas une seconde que nous puissions le construire avec les ouvriers et les charpentiers que nous avons ici. J'adorerais y travailler avant de prendre ma retraite.»

J'ai trouvé l'autre John Rhuland dans la salle des machines du *Bounty*. Il était assis, coincé entre deux gros moteurs, et il fumait sa pipe en manipulant une lourde clé. Je lui ai rapporté ce que Dan avait dit au sujet du *Bluenose*.

«Dan a raison, acquiesça-t-il. Cela ne poserait aucun problème. Et je pense qu'il y a de bonnes chances qu'ils le reconstruisent.»

Je lui ai demandé s'il serait déçu de voir la réplique du vieux champion transporter des touristes par les jours ensoleillés.

«Non, a-t-il répondu, mais j'aimerais quand même le voir encore pêcher et participer à des régates.»

Ce jour-là, j'ai rencontré deux autres personnes ayant eu une relation avec le *Bluenose* durant ses heures de gloire: Howard Faulkenham, le troisième survivant des artisans qui l'avaient construit et Willis Rhodenizer, devenu infirme, qui avait été cuistot à son bord et qui se souvenait qu'il était «rapide comme un cheval sauvage».

Il ne restait plus grand-chose du *Bluenose* lui-même, mais la plupart des vestiges se trouvaient au Bluenose Lodge, à Lunenburg. Boulonnée à un support dans le vestibule, où les enfants pouvaient l'agripper et s'imaginer aux commandes du champion, on pouvait admirer la barre originale de la goélette. On l'avait retirée du *Bluenose* peu avant son départ pour les Antilles. On pouvait aussi y voir trois des coupes remportées par le *Bluenose*. Ces précieux souvenirs avaient été donnés à Fred Glover, le propriétaire de l'hôtel, par Angus Walters lui-même. Les bossoirs de la goélette se trouvaient au Musée maritime d'Halifax. Walters conservait toujours une partie du journal de bord et il avait récemment remis son dernier souvenir, la cloche du *Bluenose*, à l'Association des provinces maritimes d'Edmonton en Alberta.

Émotivement, le retour du *Bluenose* serait un événement heureux pour la ville. Cependant, je me demandais si le projet était réaliste. Le capitaine Geldert m'avait déjà parlé des attentes des touristes, mais je voulais en avoir la confirmation. J'ai demandé à rencontrer le maire de Lunenburg, le docteur R. G. A. Wood.

«Je crois qu'il s'agit d'un excellent projet pour la ville, s'il est mené correctement et promu efficacement. Les touristes veulent le voir et c'est mauvais de les décevoir, a-t-il dit. Je me souviens des efforts d'Angus pour le sauver avant qu'il soit vendu. La construction du *Bounty* a donné un coup de pouce à cette idée... plus que nos rêves les plus fous.»

«Si on le reconstruit, je crois que ce sera une chose merveilleuse, non seulement pour Lunenburg, mais pour la Nouvelle-Écosse et pour l'ensemble du Canada.»

Dans la ville, on pouvait entendre toutes sortes de suggestions sur la façon de financer le projet. La plus fréquente consistait à mener une levée de fonds

*(en haut, à droite) – Willis Rhodenizer,
cuistot à bord du Bluenose,
se souvenait qu'il était «rapide comme un cheval sauvage».*

*(à droite) – John Rhuland,
photographié dans la salle des machines
de la réplique du Bounty,
avait travaillé à la construction du Bluenose.*

*(ci-dessous) – Le Bluenose,
voiles ouvertes au couchant,
cherche à capter le moindre souffle.*

nationale auprès des écoliers, un peu comme on l'avait fait pour sauvegarder le *U.S.S. Constitution* à Boston, au Massachusetts. Chaque écolier serait appelé à verser une pièce de 10 cents. Des rumeurs circulaient à l'effet qu'une association quelconque financerait le projet. Certains favorisaient la mise en œuvre du plan qu'Angus Walters avait entrepris avant le départ du *Bluenose* et qui n'avait pu être réalisé à cause de la guerre.

Après les régates de 1938, des citoyens de Lunenburg s'étaient rassemblés pour élaborer un plan. Ils avaient décidé d'imprimer des certificats de propriété qui seraient vendus un dollar pièce à travers le pays. Chaque détenteur de certificat deviendrait copropriétaire du *Bluenose*. Par cette démarche, on espérait aucun profit sinon d'attirer un grand nombre de visiteurs.

Après le maire Wood, il ne me restait plus qu'une seule personne à visiter. Des centaines de touristes faisaient chaque année un détour pour causer avec le capitaine Walters, alors âgé de 83 ans. Il habitait seul avec son petit chien dans une grande maison blanche située non loin de sa laiterie. Il s'était adouci un peu depuis l'époque où il se tenait sur le pont de sa goélette et fronçait les sourcils en répliquant aux journalistes qui lui disaient que les Américains construisaient un nouveau challenger.

«Je me fiche de leurs Mae West, Annie Oakley ou Greta Garbo, disait-il, et même de leur Clark Gable. Je vais m'en tenir à mon gréement de pêcheur.»

Comme ses concitoyens, le vieux marin était enthousiasmé à l'idée que l'on construise une réplique du plus célèbre des «gréements de pêcheurs». Depuis la publication d'un éditorial et d'un reportage sur le projet, il recevait des douzaines de lettres d'encouragement, souvent très émotives, de partout au Canada et aux États-Unis. L'une d'elles, adressée de Sarnia en Ontario, était accompagnée d'une pièce de 10 cents collée à un morceau de carton et d'une suggestion à l'effet d'en faire une campagne natio-

nale: «...comme c'est la première pièce de 10 cents, je vous suggère de la placer dans la poignée supérieure de la barre. Je souhaite voir le jour où vous pourrez ressortir du port de Lunenburg à la barre d'un nouveau *Bluenose* en tant que capitaine.»

Nous avons causé dans son salon décoré de photos et d'autres souvenirs du *Bluenose*. Angus était assis et caressait son chien qui s'était confortablement installé contre lui. «Le *Bluenose* était comme tous les hommes, dit-il avec tristesse, il ne pouvait continuer éternellement. J'ai toujours su que sa carrière ne pourrait être oubliée, mais je ne croyais pas qu'elle pourrait soulever autant d'émotion.»

Il aurait voulu que la réplique du *Bluenose* participe aussi à des régates.

«Je ne sais pas si le nouveau *Bluenose* pourrait être aussi rapide que le premier. C'est une question à 64 $. Mais je ne vois pas pourquoi il ne pourrait pas l'être s'il est bien gréé et tout. Vous savez, les seuls changements que j'ai apportés à l'original étaient bien au-dessus de la ligne d'eau et n'ont eu aucun effet sur sa navigabilité. Je sais que beaucoup de gens pensent que ce changement apporté au carré l'avait rendu plus rapide.»

«S'ils en construisent un autre, je suis certain que ce sera rentable! S'il se passe quelque chose à Halifax ou à Sydney, nous pourrons l'y envoyer.»

Il croyait que ce ne serait pas difficile de lui trouver des membres d'équipage. Il faudrait un certain temps pour les former – et quelques-uns seraient sans doute «plutôt effrayés en grimpant pour la première fois dans les espars».

«Il y a une goélette de Lunenburg qui est utilisée comme attraction touristique au Cap Breton, à Margaree, je crois. Mais nous n'en avons pas ici même, où il devrait y en avoir.»

«Avec l'intérêt et l'enthousiasme actuels, je crois que c'est notre dernière occasion de reconstruire le *Bluenose*. Les générations se succèdent et je pense

Le capitaine Angus Walters et le trophée de l'International Fishermen's.

qu'il faut le construire pendant qu'il y a encore des personnes qui savent comment faire.»

Nous avons continué à causer jusqu'à l'heure du souper. À un moment donné, notre conversation a été interrompue par la visite d'un client qui n'avait pas reçu sa livraison de lait. De l'endroit où j'étais assis, je pouvais entendre le capitaine dans le hall s'excuser du contretemps et promettre l'envoi d'un camion dès que possible.

À son retour, je lui ai demandé: «Angus, qu'est-ce qui faisait du *Bluenose* ce qu'il était?»

Au cours de douzaines d'entrevues, j'avais entendu parler des qualités marines de la goélette, qu'on attribuait tour à tour à son concepteur, à ses constructeurs, à son équipage, à une chance incroyable et, bien sûr, à son capitaine. Sachant qu'il s'agissait d'une question courante, je m'attendais à une réponse rapide. Au lieu de cela, le vieux marin resta assis en silence pendant plusieurs instants. Lorsqu'il prit la parole, ce fut pour rejeter tout crédit personnel au profit de la nature.

«Je crois que je sais ce que c'était. C'était la façon dont ses espars étaient dressés. Si tout le reste d'un voilier est bien construit, ce sont ses espars qui détermineront ce qu'il pourra faire. Ceux du *Bluenose* étaient configurés d'une manière mathématiquement parfaite, d'une manière humainement impossible à reproduire. Je crois bien que c'est cela. Je n'ai jamais vu aucun autre navire sortir des chantiers de Lunenburg avec des espars aussi parfaitement réglés.»

J'ai dit au revoir au capitaine et je suis allé flâner le long des quais. Le port était désert. Deux dragueurs en acier étaient amarrés à leurs quais et seul le claquement produit par un pêcheur à la ligne rompait le silence qui régnait sur la baie. Il commençait à faire sombre. Le soleil descendait derrière le terrain de golf au-delà du plan d'eau et l'on pouvait à peine distinguer le petit phare dressé à l'entrée du port.

J'ai réalisé que je m'étais laissé prendre, moi aussi, au souvenir mélancolique entretenu par les Lunenbourgeois.

Les dernières paroles d'Angus Walters me trottaient dans la tête: «S'ils en construisent un autre, je crois que j'aimerais bien voir comment il vogue.»

Je songeai au vieux marin assis dans l'obscurité de son salon, caressant son petit chien et se demandant s'il pourrait avoir la chance de se tenir aux côtés de son homme de barre et de crier «levez le foc et la misaine!» pendant que le nouveau *Bluenose* quitterait son port – un rêve qui pouvait toujours se réaliser.

MER CALME SUR L'ARRIÈRE

Assis sur les banquettes et les couchettes, les marins observèrent la dernière bouteille tomber sur le pont et rouler jusqu'aux autres qui s'y trouvaient déjà. Chacune était ornée d'une élégante étiquette dorée qui brillait dans la lumière tamisée du carré: CHAMPAGNE.

Une célébration prenait fin. Deux douzaines de pêcheurs du Banc de Terre-Neuve réunis pour arroser un événement grandiose contemplaient avec morosité les bouteilles jonchant le pont – comme si on leur avait servi du thé. Un calme étrange s'était abattu sur le groupe, aussi opprimant que le brouillard et même pas rompu par le moindre respectable rot.

Ce fut finalement un grondement provenant d'une couchette du bas qui brisa le silence: «Bon! Maintenant qu'on a fini le jus de pomme, si on débouchait un vieux rhum pour passer aux choses sérieuses!»

Et pendant que la houle du port de l'Atlantique tendait le câble d'ancre d'une goélette nommée *Bluenose*, dans le carré, la réunion de l'équipage s'anima, poussée par un vent plus vigoureux, et donna bientôt de la gîte.

Ils étaient un groupe de capitaines et d'hommes d'équipage à bord de la goélette élancée de Lunenburg qui allait apporter la gloire à une époque pâlissante par la célébrité de son nom. Au cours de l'après-midi de ce jour-là – le 24 octobre 1921 – le *Bluenose* avait traversé la ligne d'arrivée au moins trois milles devant l'*Elsie* de Gloucester pour ramener au Canada le prestigieux trophée de l'International Fishermen's. La coupe avait été perdue l'année précédente par le *Delawana* de Lunenburg aux mains de son rival américain, l'*Esperanto*.

C'était en hommage à cette victoire qu'un admirateur américain, voulant ajouter à la bonne humeur des hommes du *Bluenose*, s'était présenté à bord avec un cadeau – une caisse de «champagne véritable», qui avait été reçue de bon cœur et éclusée à une vitesse qui faisait depuis longtemps la réputation des pêcheurs du Banc de Terre-Neuve.

Le verdict de l'équipage à propos du champagne – quoique bourru – s'exprimait avec l'ironie admirative propre au dialecte de Lunenburg, qui n'a son équivalent nulle part au monde. Peut-être était-il préférable que le donateur ne soit pas à bord pour entendre son présent qualifié de «jus de pomme». Pourtant, ce qui pouvait sembler méprisant n'était en réalité qu'une aimable moquerie. Les Lunenbourgeois, reconnus pour leur hospitalité, ne sont pas insensibles aux signes d'amitié qu'on leur témoigne.

Il était compréhensible que le délicat nectar français ne puisse satisfaire des palais habitués depuis des années à du rhum puissant. Cela s'apparentait même aux raisons pour lesquelles on avait construit le *Bluenose* et organisé des régates internationales de goélettes. Un pêcheur exposé aux difficiles conditions du Banc de Terre-Neuve recherchait un alcool sur lequel il pouvait compter pour se déglacer le sang, se réchauffer l'estomac et s'enflammer le gosier en un rien de temps. Les boissons fines – comme le vin ou le champagne – on les laissait à des palais plus délicats. Pour les hommes des doris, le rhum, ce vigoureux alcool des Antilles, était la seule boisson pouvant s'adapter au beau temps comme à la tempête. Toutes les autres étaient considérées comme ne valant guère mieux qu'un faux-semblant.

Il en allait de même pour la navigation à voile. Avant les années 20, les yeux des amateurs étaient tournés vers les régates de la coupe America, une compétition qui avait vu le jour en 1851 alors que la première course autour de l'île de Wight, mettant à l'enjeu un trophée de 100 guinées, fut remportée par l'*America* – à cause d'un coup de chance, selon les Lunenbourgeois. Ces derniers avaient prétendu que son faible tirant d'eau lui avait permis de raccourcir le trajet de la course d'au moins neuf milles.

Ils insistaient sur le fait que l'*America* ne pouvait être considéré comme un navire de haute mer, pas plus que les autres yachts qui, année après année, se faisaient la lutte pour remporter la coupe baptisée en son honneur. Aux yeux des pêcheurs, ils étaient tous faits du même bois, qu'ils portent le nom de *Valkyrie*, de *Shamrock*, de *Resolute*, de *Vanite* ou de *Defiance*. C'était des yachts, manœuvrés par des yachtmen et continuellement remorqués pour être réparés ou «réglés» d'une manière ou d'une autre. Et lorsqu'un vent de 23 nœuds força le New York Yacht Club à reporter une régate en 1919, on put entendre des gloussements de moquerie de Terre-Neuve à Gloucester!

Après cet événement, l'idée d'organiser des compétitions entre d'honnêtes voiliers de travail se gonfla comme une voile au vent d'août. Le projet se concrétisa lorsque William H. Dennis annonça dans son journal, le *Herald* de Halifax, qu'une épreuve de qualification pour goélettes aurait lieu en octobre au large de Halifax. Le vainqueur affronterait le meilleur navire de Gloucester pour l'obtention d'un tout nouveau trophée international et un prix en argent. Cependant – et à la grande satisfaction des Lunenbourgeois –, les participants devraient être de véritables bateaux de pêche ayant à leur crédit au moins une expédition sur le Banc de Terre-Neuve. Ce règlement était l'élément principal qui donnait toute sa valeur au trophée.

La nouvelle se répandit sur toute la côte et fut accueillie comme une rasade de vieux rhum par les pêcheurs en haute mer des provinces de l'Atlantique et de la côte est américaine. Il ne s'agissait pas d'une compétition maniérée au champagne, mais enfin d'un ultime combat, équipage contre équipage, capitaine contre capitaine, coque contre coque – et que le diable s'occupe du temps!

À elle seule, la flotte de Lunenburg comptait plus d'une centaine de voiliers. Les concurrents ne manquaient pas et il ne se ferait aucun quartier dans la lutte visant à choisir les hommes et les navires les mieux qualifiés pour arracher la victoire. Lorsqu'on débattait la question de savoir qui était le meilleur capitaine et qui avait le meilleur navire, le nom d'Angus Walter revenait fréquemment, puisqu'il était reconnu pour tirer le maximum de n'importe quel navire. Néanmoins, on s'entendait pour que le choix se fasse d'une manière honnête, en se fondant sur quelque chose de plus sérieux qu'une simple opinion. Seule une épreuve de qualification pouvait le faire. Pas moins de huit goélettes s'y préparèrent.

Les régates de goélettes venaient de naître. Elles étaient destinées à devenir pendant 20 ans un magnifique spectacle et un sujet de discussion pour les gens de l'intérieur des terres comme pour ceux de la côte, pour les Américains comme pour les Canadiens. Ainsi naissait aussi l'histoire du *Bluenose*, même si une année complète allait s'écouler avant qu'il commence à prendre forme dans un chantier naval de Lunenburg. Si la légende du *Bluenose* allait marquer les deux décennies suivantes, le début de sa saga remontait à ce jour de 1920 où Billy Davis avait dévoilé son projet et fait don d'un trophée pour des régates internationales.

Né à Terre-Neuve, Ben Pine fut le capitaine de deux goélettes de Gloucester, le Columbia *et le* Gertrude L. Thebaud — *les principaux rivaux du* Bluenose *dans les régates de l'International Fishermen's.*

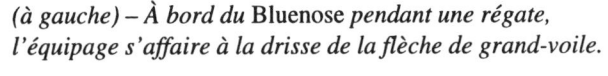

(à gauche) – À bord du Bluenose *pendant une régate, l'équipage s'affaire à la drisse de la flèche de grand-voile.*

(ci-dessous) – L'équipage du Bluenose *se masse sur le bordage pendant que son navire suit le* Margaret K. Smith *avant le départ d'une course de qualification tenue au large de Halifax le 7 octobre 1922. Le Bluenose a remporté l'épreuve et le droit de défendre le trophée qu'il avait ravi l'année précédente à la goélette* Elsie.

Sans doute la plus spectaculaire photo du Bluenose en course.
Avec ses écoutes tendues et le bordage sous le vent immergé,
il fonce vers la ligne d'arrivée et la victoire.

Ce n'était plus qu'une question de temps avant que le *Bluenose* vogue vers sa gloire, défende ses couleurs, imprime sa marque dans les cœurs de ses admirateurs, resplendisse sous les projecteurs, se languisse dans l'oubli et – finalement – périsse dans les affres d'un modeste labeur. Si le *Bluenose* et sa légende étaient destinés à pâlir un certain temps, son image n'a jamais souffert de cette éclipse, même lorsqu'il s'est enfoncé sous les vagues. Le récit de ses exploits et de ses triomphes perdrait de son attrait pendant une certaine période, mais il conserverait toujours sa place dans les souvenirs.

Jusqu'à ce jour, d'innombrables touristes visitant son port d'attache demandent où ils peuvent voir quelque chose du grand navire. Chaque fois, ils font preuve de sympathie à l'endroit des Lunenbourgeois, qui l'ont laissé partir vers une fin humiliante sur un récif des Antilles. Tout comme ils ne se lassent pas d'en entendre parler, les vrais Lunenburgeois sont intarissables lorsqu'il s'agit de raconter l'époque, déjà très lointaine, où la silhouette blanche de deux magnifiques goélettes se détachant sur le ciel – l'une d'entre elles étant toujours le *Bluenose* – était le spectacle le plus captivant au monde.

Le *Bluenose* avait-il été conçu et construit pour devenir une telle légende? Combien de courses a-t-il vraiment remporté? A-t-il déjà été battu? A-t-il ralenti avec l'âge? Quel était le secret du *Bluenose*? Était-ce son design? Ou les qualités marines de son équipage? Ou encore la finesse et la compétence de son capitaine?

Et puis, la plus inquiétante question de toutes: le *Bluenose* était-il un monstre, le résultat d'une sorcellerie accomplie secrètement pendant sa construction? Les questions, comme les réponses, ne connaissent pas de fin. La vérité ne peut se trouver que dans un compte rendu factuel et objectif de toute son histoire – en commençant avec cet automne de 1920, avant même que le *Bluenose* ne soit un reflet dans les yeux de ses constructeurs.

Vint la première course de qualification. Les huit goélettes entreprirent un parcours destiné à bien évaluer les concurrents sur tous les aspects de la navigation à voile. Le vent soufflait à 20 nœuds lorsque le *Delawana*, sous la direction du capitaine Tommy Himmelman, et le *Gilbert B. Walters*, commandé par le capitaine Angus Walters, virèrent vers le port après la dernière bouée. Ils étaient nez à nez. C'est alors que le mât de flèche de misaine du *Gilbert B.* fut emporté et que celui-ci perdit du terrain malgré tous ses efforts pour demeurer dans la course. Le *Delawana* franchit la ligne d'arrivée avec plus de cinq minutes d'avance, mais aux yeux de la plupart des spectateurs, Angus avait fait la plus brillante démonstration par la ruse de ses manœuvres.

Entre-temps, d'autres voiliers se faisaient la lutte en Nouvelle-Angleterre, alors que les marins de Gloucester tenaient leurs épreuves de qualification, qui se soldèrent par la victoire d'une goélette petite mais efficace, l'*Esperanto*, commandée par Marty Welch. Ce prétendu Yankee, qu'on nommait Welch, venait de Digby en Nouvelle-Écosse. Au cours des deux courses organisées au large de Halifax plus tard cette année-là, l'*Esperanto* remporta la victoire sans grande difficulté. Il retourna à Gloucester avec le trophée et un prix en argent de 4 000 $. Le prix de consolation de 1 000 $ remis au *Delawana* ne pouvait guère apaiser la déception et le chagrin des Canadiens, qui reconnaissaient tout de même que les courses avaient été honnêtes et loyales. Ils devaient maintenant concevoir et construire une nouvelle goélette capable d'être non seulement un bon bateau de pêche, mais aussi un coursier susceptible de vaincre les meilleurs navires américains.

Les noms de William J. Roue, concepteur du *Bluenose*, et d'Angus Walters, son vaillant capitaine, sont depuis longtemps célèbres dans les annales maritimes. La fascination qui entoure les deux personnages est née et a grandi avec les succès du *Bluenose*. Étrangement, elle s'est maintenue jusqu'à tout récemment et de nouvelles réalisations remarquables ont fait briller le nom du chantier naval qui avait construit la célèbre goélette. Si d'autres mains l'ont manœuvré, ce sont les mains de ses constructeurs qui ont créé ce prodige de la voile.

George Rhuland et Richard D. Smith ont ouvert leur chantier naval à l'apogée de la pêche sur les bancs salés. Ils ont prospéré de différentes façons – entre autres parce que les capitaines et les entreprises de pêche comptaient sur Smith et Rhuland pour construire des navires capables de répondre à tout ce qu'on leur demanderait. À l'époque, on faisait rarement appel à un architecte naval lorsqu'une entreprise ou un capitaine de pêche voulait faire construire une goélette. Plus souvent qu'autrement, les plans étaient dessinés par les associés du chantier après de longues et nombreuses consultations avec le client.

Avec les années, le design des goélettes de pêche avait beaucoup évolué. Se fondant sur son expérience, le capitaine du navire à construire savait exactement ce qu'il voulait et il pouvait demander des modifications au plan original. Il était en mesure de suggérer des changements susceptibles de rendre son bateau plus stable ou plus efficace par vent arrière. George Rhuland et Dick Smith n'hésitaient pas à appliquer de telles suggestions lorsqu'ils jugeaient qu'elles avaient fait leurs preuves. Mais ils pouvaient aussi compter sur un trésor de compétence inépuisable, provenant de l'expérience de générations de capitaines lunenbourgeois ayant déjà vérifié si tel ou tel truc fonctionnait vraiment.

On peut donc croire que, lorsqu'est venu le moment de construire le *Bluenose*, ses commanditaires choisirent un chantier capable de réaliser leur rêve. Après consultation de toutes les parties, une quille fut mise en place pour la nouvelle goélette dans le chantier Smith & Rhuland. Au cours d'une cérémonie haute en couleurs, le gouverneur général du Canada, le duc du Devonshire, devait enfoncer un clou en or dans la quille... du moins, c'était le scénario prévu. Cet auguste personnage étant arrivé trop tôt pour la cérémonie, on l'invita à des libations de bon aloi dans l'attente de son entrée en scène. Au terme de cet intermède, il revint avec l'esprit serein, mais les facultés un peu affaiblies; il rata complètement le clou à son premier élan avec la masse en fer – au grand désespoir des spectateurs les plus guindés. Comme sa précision ne s'améliorait pas avec les essais, quelqu'un le prit en pitié et enfonça le clou à sa place.

Quelque temps plus tard, les vétérans artisans qui avaient construit pas moins de 119 navires se mirent joyeusement au travail et le *Bluenose* commença à prendre forme de la manière dont, quelque 40 années plus tard, allaient être construits le *Bounty* et, peu de temps après, la réplique de la goélette, le *Bluenose II*. Ce jour marqua également le début de la longue et fière histoire du chantier Smith & Rhuland, dont le nom allait être associé à des navires célèbres et connaître la gloire mondiale.

Bill Roue avait bien fait son travail. Il avait intégré à ses plans des innovations et des détails destinés à produire un champion. Entre autres, pour abaisser le centre de gravité, il avait recommandé que le dessus de la quille soit renforcé de fer imprégné de béton. Plus tard, à la demande des propriétaires et avec l'accord de Roue, les responsables du chantier modifièrent les plans en élevant le franc-bord de 18 pouces pour augmenter la hauteur du plafond du carré. On a plus tard considéré que ce changement avait permis à la goélette d'être plus efficace au près – et c'est peut-être vrai, car le pont du *Bluenose* restait sec, même par grosse mer.

Ce changement a aussi donné lieu à un devant de coque plus protubérant, un détail qui distinguait le *Bluenose* des autres goélettes, ainsi qu'à l'angle caractéristique de son étrave. Cependant, des recherches approfondies ont révélé qu'aucun autre chan-

gement n'avait été apporté aux plans, que ce soit par caprice ou par nécessité. Comme le disait Fred Rhuland, secrétaire-trésorier du chantier: «Aucun constructeur naval sérieux n'oserait modifier les plans sans en parler aux propriétaires. Le *Bluenose* n'était certainement pas un monstre. Ses capacités marines tenaient sans doute au fait qu'il s'agissait de ce qu'on appelle un navire dépouillé. Avec une longueur totale de 143 pieds et une quille de seulement 50 pieds, près des deux tiers du navire étaient au-dessus de la ligne d'eau, ce qui devait sûrement contribuer à sa rapidité.»

La goélette fut lancée le 26 mars 1921, à Lunenburg au milieu de célébrations remplies d'espoir. En ce petit matin piquant, aucun des spectateurs présents ne pouvait se douter qu'il assistait à la naissance d'une légende. Les deux associés du chantier ne se doutaient pas non plus que sa gloire allait rejaillir sur leur entreprise.

Le *Bluenose* était fait presque entièrement avec du bois de Nouvelle-Écosse – de l'épinette, du chêne, du bouleau et du pin... à l'exception de ses mâts en pin de l'Oregon. La goélette grandissait en beauté tandis qu'on la lestait pour la rendre bien stable et que ses mâts s'élevaient à plus de 100 pieds au-dessus du pont. L'installation des gréements fut réalisée vite et bien. Dès le 15 avril, le *Bluenose* pouvait quitter le port pour des essais en mer, accompagné par deux autres goélettes. Peu de temps après, il se dirigea vers le Banc de Terre-Neuve. À la fin de l'été, lorsqu'il revint au port chargé de prises, le *Bluenose* avait clairement démontré ses qualités de pêcheur. Il était déjà considéré comme le meilleur navire de la flotte.

Il ne fallut pas beaucoup de temps pour préparer le *Bluenose* à ses premières courses de qualification qui devaient avoir lieu à l'automne, au large de Halifax. La goélette fut mise en cale sèche, on retira ses cornes de charge et ses voiles de pêche, on révisa ses gréements de course et on installa ses mâts de flèche. Arborant une couche de peinture toute neuve, le *Bluenose* s'amena à Halifax le mardi 8 octobre 1921. Le ville était en transe à la vue de cette prima donna nautique aux allures de championne. Avec ses espars touchant le ciel, sa coque dépouillée et ses 10 000 pieds carrés de voilure, le *Bluenose* pouvait couper le souffle même au moins marin des observateurs.

«Comment va-t-il s'en tirer, capitaine?» demanda un observateur curieux sur le quai.

«C'est un très bon bateau!» obtint-il pour simple réponse.

*L'Elsie, goélette de Gloucester détentrice de la coupe de l'International Fishermen's, suit le sillage du
Bluenose vers le port à la fin des régates de 1921. Au cours de la course, pendant les manœuvres pour hisser
son foc en l'air, l'Elsie perdit son mât de flèche de misaine. On le distingue ici, attaché au mât de misaine.
L'Elsie sombra en 1935 au large de Saint-Pierre.*

Le samedi matin suivant, sept goélettes s'approchèrent de la ligne de départ en même temps que le *Bluenose*. Venant de Lunenburg, de Shelburne et de LaHave, les concurrents prirent le départ dans l'ordre suivant.

NAVIRE	CAPITAINE	HEURE
Bluenose	Angus Walters	10 h 30 min 35 s
Independence	Albert Himmelman	10 h 31 min 09 s
J. Duffy	Spindler	10 h 31 min 10 s
Canadia	J. Conrad	10 h 31 min 30 s
Alcala	Roland Knickle	10 h 31 min 45 s
Ada R. Corkum	Corkum	10 h 33 min 22 s
Donald J. Cook	Cook	10 h 33 min 55 s
Delawana	Backman	10 h 34 min 15 s

Les régates commencèrent avec une faible brise d'à peine sept nœuds et trois quarts, qui s'éleva bientôt à douze nœuds alors que les trois premiers concurrents contournaient la première bouée: le *Bluenose*, suivi par le *Canadia* et par l'*Alcala*.

Un banc de brume, tombant à la vitesse et à la manière d'un brouillard londonien, empêcha soudainement les concurrents de s'observer les uns les autres. Il mit aussi un terme à l'observation de la course depuis le rivage.

«Nom de Dieu! maugréa un équipier du *Bluenose*, inspiré par le rhum et par le fait que les compagnes de l'équipage observaient la course à partir de la rive, si au moins nos femmes pouvaient savoir où nous sommes!»

«Au diable nos femmes, répliqua un autre, si au moins nous savions nous-mêmes où nous sommes!»

Puis, comme cela arrive souvent, le brouillard se leva aussi vite qu'il était tombé. Les goélettes se dirigèrent vers la bouée automatique du sud-est, à six milles de distance. Le *Bluenose* la contourna devant l'*Alcala* et entreprit une étape mouvementée de neuf milles au près en direction du bateau-phare *Sambro*. Le vent, qui atteignait jusqu'à 20 nœuds, fournissait une épreuve de première classe pour les navires, les équipages et les capitaines. Le *Bluenose* avait démontré sa supériorité au largue; maintenant, au près, il filait comme un lièvre aux abois. Il contourna la troisième bouée et se précipita vers la ligne d'arrivée. Ce fut une victoire facile.

Angus Walters avait lui-même barré sa nouvelle goélette vers la victoire. Au cours des régates des 17 années suivantes, il allait rarement confier la barre à un autre.

La seconde course fut une répétition de la première. Lorsque le *Bluenose* arriva au près, même si le *Delawana* le devançait au bateau-phare *Sambro*, il prit les devants pour les conserver. À la première

course, le *Bluenose* avait devancé le *Canadia* de plus de quatre minutes. À la seconde, il avait battu son plus proche rival, le *Delawana*, avec une avance de plus de 15 minutes. Il s'était mérité le droit d'affronter les Américains pour regagner le trophée international.

Avant la tenue de la première régate internationale à laquelle devait participer le *Bluenose*, on assista à une controverse qui allait hanter les carrés des deux côtés longtemps après l'établissement des règlements. Le bruit s'était répandu à Halifax que le comité américain avait choisi le *Mayflower* de Boston – indéniablement un pur et simple yacht – pour affronter le challenger canadien. Pour les Néo-Écossais, il n'en était pas question. On les accusa de craindre le nouveau navire yankee, mais ils le nièrent vigoureusement. Le *Mayflower* n'était pas un bateau de pêche, disaient-ils, mais un bateau conçu expressément pour la course, sans aucune considération pour ses qualités de pêcheur.

Encore pire, le *Mayflower* n'était pas la propriété d'une entreprise de pêche commerciale et il arborait même l'appellation «yacht-goélette». Si on voulait vraiment tout savoir, ils avaient peur, non pas du *Mayflower*, mais bien que les régates internationales de goélettes ne deviennent une copie de la coupe America. Pour eux, ce yacht menaçait de sonner le glas des compétitions entre véritables goélettes de pêche.

Les Américains envoyèrent un représentant à Halifax pour défendre leur cause, mais les Canadiens furent inflexibles. On tint donc une réunion spéciale du conseil d'administration. Les Américains furent formellement avisés que le *Mayflower* n'était pas admissible en vertu des règles de la compétition. Cela mettait les Américains dans de beaux draps... mais il n'y avait rien à faire. Ils choisirent la seule voie qui s'offrait à eux et ils organisèrent rapidement une épreuve de qualification pour leurs voiliers, au terme de laquelle l'*Elsie* fut couronné vainqueur. Il arriva à Halifax en grandes pompes, prêt à affronter son rival canadien. Le *Bluenose* avait fait un court séjour à Lunenburg après les épreuves de qualification canadiennes pour une révision de sa coque. Lorsqu'il revint à Halifax, l'*Elsie* l'attendait de pied ferme.

Ironiquement, au cours de son voyage vers Halifax, le *Bluenose* avait rencontré un étranger... nul autre que la fierté de Boston, le *Mayflower*. Le challenger canadien se dirigeait vers Pennant Point et les Américains décidèrent de lui faire la course. Le *Mayflower* se rapprocha derrière le *Bluenose*, mais comme il ne s'agissait pas des meilleures con-

*Arborant pour la première fois le numéro 1 du champion sur sa grand-voile,
en octobre 1922, le* Bluenose *avance à peine sous le vent du* Henry Ford *de Gloucester, au départ d'une
course gênée par de faibles vents. Le* Bluenose *remporta la course.
Le* Henry Ford *coula au large de Terre-Neuve six ans plus tard.*

ditions de navigation pour la goélette de Lunenburg, et comme le yacht de Boston ne poussait pas vraiment, cette brève épreuve n'a pu établir les mérites comparés des deux navires.»

Le mardi 22 octobre, un vent de 25 nœuds était au rendez-vous pour le départ de la course entre le *Bluenose* et l'*Elsie*. La goélette de la Nouvelle-Angleterre était dirigée par le capitaine Marty Welch, qu'Angus allait plus tard désigner comme le meilleur skipper de tous les challengers américains. Marty avait eu le dessus lors du départ, mais le *Bluenose* lofa la goélette de Gloucester dans un vent calme à la hauteur de Sandwich Point et réussit à prendre une mince avance au cours des premières étapes de la régate. Voulant mieux connaître son navire, Angus essayait différents agencements de voiles les uns après les autres. Finalement, il fit hisser le foc en l'air et le *Bluenose* réagit comme un lévrier. Marty voulut l'imiter, mais au cours des manœuvres, il perdit son mât de flèche de misaine. Angus fit immédiatement preuve d'esprit sportif. Non seulement fit-il amener le foc en l'air, mais il resta aussi moins voilé que son adversaire yankee. Profitant de forts vents, les deux goélettes se précipitèrent vers la ligne d'arrivée. Le *Bluenose*, son dalot de pont ruisselant, la traversa avec un temps de 1 h 32 min 10 s, suivi par l'*Elsie* avec un temps de 1 h 45 min 25 s. Et c'en était fait!

Après la course, un membre de l'équipage du *Bluenose* reconnut madame Welch, l'épouse du capitaine de l'*Elsie*, qui avait observé l'épreuve à partir d'un quai de Halifax.

«Eh bien, madame Welch, c'est malheureux que l'*Elsie* n'ait pas gagné cette course, la consola-t-il. Vous savez, il aurait gagné, n'eût été de quelque chose qu'il y avait dans l'eau aujourd'hui.»

«Vraiment? répliqua-t-elle avec curiosité. Mais qu'y avait-il dans l'eau?» Avec un sourire diabolique, le marin répondit: «Le *Bluenose*!»

Ce jour-là, le *Bluenose* avait démontré sa supériorité évidente sur tous les points. Il devait encore l'accentuer dans la seconde course prévue pour le lundi. L'*Elsie*, même avec des mâts de flèche tout neufs, n'était pas de taille à menacer le coursier de Lunenburg. Il termina la course avec un écart de plus de trois milles!

La seconde course fut marquée par un à-côté intéressant: le *Mayflower* se pointa sur le parcours et accompagna les goélettes. Il n'était pas gréé pour la compétition et ne portait que ses quatre voiles inférieures; il ne pouvait pas donner sa pleine mesure. Il fut même éclipsé par le *Delawana*, voilé de la même

façon, qui s'était également joint à la régate pour le seul plaisir.

On peut très bien imaginer les réjouissances qui soulevèrent Halifax et toute la côte au cours de cette nuit d'automne. Sur le *Bluenose*, dans un seul et même souffle, un joyeux équipier dansa une gigue, proposa à tous de «bien arroser ça» et demanda une chique à l'un de ses compagnons. «Nom d'une morue, Bingie, grommela son coéquipier exaspéré, tu n'en achètes donc jamais!» Puis, se résignant à l'inévitable, il plongea une large main dans son pantalon de toile cirée, se plia en deux et fourragea à la recherche de quelque chose dans les profondeurs d'une poche intérieure dans la région de l'entrecuisse. Enfin, se relevant, il en sortit une chique toute neuve de ce tabac humide et foncé si cher aux pêcheurs de morue. Un moment plus tard, il la récupéra des mains du parasite et, en considérant tristement le petit morceau qui en restait, il ajouta: «Bingie, tu vas peut-être le trouver un peu plus humide que d'habitude. Vois-tu, je ne me retiens plus aussi bien qu'avant.»

Cela mit fin à la première régate internationale à laquelle le *Bluenose* participa à titre de challenger. Il était devenu le champion incontesté et le navire à battre. Par la suite, l'histoire des régates de l'International Fishermen's allait être la chronique des efforts de ses rivaux pour réaliser l'impossible.

Les compétitions de 1921 prirent fin lorsque le *Bluenose* et son équipage de Lunenburg se dirigèrent vers le Banc de Terre-Neuve pour pêcher et que les Américains retournèrent à Gloucester afin de dresser un plan pour les compétitions de 1922, bien déterminés à revenir avec un navire capable de vaincre le champion. Ils se mirent tout de suite au travail. Le capitaine Thomas McManus, un constructeur de goélettes reconnu, obtint le mandat de concevoir un tel navire.

Le résultat de ses efforts fut baptisé le *Henry Ford* et aucun observateur ne pouvait douter du fait que sa silhouette effilée allait en faire un concurrent sérieux. Malheureusement, le navire fut endommagé au moment du lancement et il ne put faire son expédition de pêche sur le Banc de Terre-Neuve à temps pour se qualifier. Le conseil d'administration lui accorda tout de même une dispense, compte tenu du fait qu'il avait été conçu conformément aux règlements. Le *Henry Ford* pourrait être réparé pendant la période qu'il aurait normalement dû consacrer à la pêche.

Devant cette dispense, les propriétaires du *Mayflower* revinrent à la charge en arguant que leur navire avait démontré son admissibilité en participant à des

Le Columbia, *désigné par Angus Walters comme étant «le meilleur concurrent américain», fut défait*
au terme d'une compétition serrée contre le Bluenose
et déposa protêt invoquant une erreur de navigation de ce dernier.
Quatre ans plus tard, cette magnifique goélette de Gloucester
sombra avec ses 22 membres d'équipage au large de l'île de Sable.

expéditions de pêche été comme hiver. Les Lunen-bourgeois maintinrent leur décision en indiquant que la dispense accordée au *Henry Ford* était une preuve de bonne foi. Le conseil d'administration refusa lui aussi de renverser sa décision de 1921, mais il condescendit à en expliquer les raisons. Ce n'était pas seulement sa conception, son type de construction ou même ses propriétaires qui rendaient le *Mayflower* inadmissible. Ses expéditions de pêche n'avaient fait que confirmer qu'il s'agissait d'un navire très peu doué pour la pêche en haute mer. Le conseil réaffirma que le *Mayflower* avait été conçu en fonction de la course et qu'il n'avait pas les qualités requises d'une véritable goélette de pêche.

«Le comité avait peur de nous voir affronter le *Mayflower*, devait plus tard affirmer Angus. Pourtant, j'aurais bien aimé le faire. Je l'avais observé et j'étais convaincu que nous pouvions le battre. Je le leur ai dit, mais ils ont maintenu leur décision.»

Ainsi donc, ce fut le *Henry Ford,* et non le *Mayflower*, qui participa aux épreuves de qualification au large de Gloucester, les 12 et 14 octobre 1922. Ayant facilement défait le *Yankee* et le *L. A. Dunton*, tous deux de Boston, ainsi que le *Elizabeth Howard* de New York, il se prépara à affronter le champion canadien au cours d'une compétition qui devait commencer le 21 octobre, au large de son propre port d'attache.

Le *Bluenose* avait affronté trois autres goélettes de Nouvelle-Écosse au cours d'une épreuve de qualification tenue au large de Halifax le samedi 7 octobre. Le *Canadia*, le *Mahaska* et le *Margaret K. Smith* n'étaient pas de taille. Le *Bluenose* remporta la victoire facilement.

La légère brise de ce matin d'octobre caressait les voiles des deux goélettes qui attendaient près de la ligne de départ, espérant capter le moindre souffle qui passerait par là. Les esprits et les mains se préparaient à mettre un terme aux discussions et prétentions qui avaient meublé les mois précédents, sur terre comme sur mer. À bord du navire du comité de course, les officiels décidèrent de retarder le départ de 30 minutes dans l'espoir que le vent se lève. On fit hisser le pavillon indiquant que le départ était remis à plus tard. Cependant, les deux capitaines rivaux avaient décidé de prendre les choses en mains. Longeant le navire américain d'assez près pour lui passer un seau d'appâts, Angus cria à son rival: «Qu'est-ce que tu en dis, Clayt?»

«Pour moi, ça va!» répondit Clayton Morrisey, capitaine du *Henry Ford*. Et la course commença.

Constatant que leur signal était ignoré, les officiels tirèrent un coup de revolver pour indiquer leur consternation et réaffirmer l'ordre de retarder le départ. Comme cela ne donnait rien, on demanda au

destroyer canadien qui avait accompagné le *Bluenose* d'aller avertir les deux capitaines que l'épreuve était retardée. Il n'y eut aucune réponse. Les équipages et les capitaines avaient attendu ce moment pendant trop longtemps et ils ne voulaient pas en être frustrés. Les deux goélettes poursuivirent leur course le long de la première étape à une allure de tortue.

Il n'y avait aucun signe de vent. Le *Bluenose* se traîna pendant toute la course derrière le *Henry Ford*, qui se révéla supérieur par faible vent. Aucun des deux navires ne réussit à terminer l'épreuve à l'intérieur du délai imparti.

«Un à zéro pour Clayt!» reconnut Angus en débarquant de son navire. Mais les officiels ne l'entendaient pas ainsi: ils annulèrent la course.

L'équipage du *Henry Ford* se mit à maugréer. Qui pouvait les blâmer? Les deux capitaines avaient accepté de prendre le départ et les deux équipages avaient travaillé comme des enragés pendant toute la journée à changer les voiles – et tout cela pour quoi? Quant à lui, le comité pouvait aller se faire cuire un œuf, délai ou pas délai. Ils abandonneraient tout de suite si la course n'était pas reconnue.

Heureusement, la sagesse prit le dessus. Le plus diplomate des officiels était Josephus Daniels, alors secrétaire de la Marine américaine. Il fit appel aux meilleurs éléments de l'équipage du *Henry Ford*, qui venaient de la côte sud de la Nouvelle-Écosse.

«Ne laissons jamais dire que les marins des ports de Pubnico et de Clark ont été ceux qui ont traîné la «Vieille Gloire» dans la poussière, leur déclara-t-il.»

Et cela réussit! Les goélettes retournèrent à la ligne de départ. Les vents étaient encore faibles, mais pas autant que le premier jour. Les deux concurrents réussirent à terminer la course à l'intérieur du délai de six heures et le *Henry Ford* prit l'avantage, avec une mince avance de 2 minutes et 26 secondes.

La deuxième course fut très différente. Le vent soufflait avec régularité à une vitesse respectable de 20 nœuds. À mi-course, en virant de bord pour revenir au port, le *Henry Ford*, comme l'*Elsie* l'année précédente, perdit son mât de flèche de misaine. Étrangement, la goélette semblait aller plus vite sans son mât, mais pas suffisamment pour rattraper le *Bluenose*, qui franchit la ligne d'arrivée avec une bonne avance. Le *Bluenose* avait terminé sa course à 4 h 57 min 41 s et le *Henry Ford*, à 5 h 5 min 4 s.

Sur les rivages de Gloucester, quelques irréductibles de la coupe America protestaient fortement en disant qu'une course ne devrait pas avoir lieu lorsqu'il vente assez pour arracher un mât de flèche. À son grand honneur, l'équipage du *Henry Ford* ne se joignit pas à leurs récriminations, estimant que les coups de vent font partie du jeu.

«Le *Henry Ford* était un peu sensible aux vents de travers, se souvenait Angus. Je n'ai pas encore compris pourquoi, mais les gens de Gloucester n'ont jamais appris à ne pas survoiler leurs navires. Tous ceux que j'ai vus portaient trop de voiles et cela les rendait vulnérables par gros temps.»

Au cours de la troisième et décisive épreuve, par des vents soufflant à 25 nœuds, le *Bluenose* remporta la victoire sans difficulté, établissant sans l'ombre d'un doute lequel des deux navires était le meilleur. Il défendit son titre avec brio et remporta le prix en argent. Son temps d'arrivée dans la dernière course était 4 h 48 min 38 s, contre 4 h 56 min 29 s pour le *Henry Ford*. Dans chaque épreuve, le *Bluenose* avait démontré sa supériorité dans tous les aspects de la navigation à voile.

En débarquant au quai de Lunenburg, Angus répondit avec son aplomb habituel à une question sur le temps qu'il faisait lorsque le *Henry Ford* avait perdu son mât de flèche.

«Voyez-vous, répondit-il, je ne porte jamais d'imperméable ni de pantalon en toile cirée et, s'il y avait des embruns, je ne les ai jamais sentis. Il y avait bien un peu d'eau autour et nous faisions plonger le navire pour rafraîchir le pont.»

Puis, tandis qu'il s'en allait en hochant la tête, il ajouta: «Ce n'était sûrement pas un temps à arracher un mât de flèche. D'ailleurs, nous n'avons pas perdu les nôtres.»

Parmi les challengers américains du *Bluenose*, le *Columbia* fut celui qui s'est gagné le plus d'admiration de la part des pêcheurs canadiens. Rien d'étonnant à cela! C'était le plus magnifique bijou dont on ait pu rêver.

Il avait vu le jour sur la table à dessin de W. Starling Burgess, reconnu comme étant sans doute le plus grand architecte naval américain de son époque; il était habité par le désir d'accomplir ce que personne d'autre n'avait réussi: humilier le *Bluenose*. Il avait conçu le *Mayflower* et il était de ce fait très conscient des normes d'admissibilité. Cette fois, personne ne pourrait contester le navire comme n'étant pas une véritable goélette; il proposa un design qui ne laissait aucun doute sur ses qualités de bateau de pêche en haute mer. Pour ne pas être en reste, il l'avait aussi conçu pour en faire un bon pêcheur côtier.

Le *Columbia* prit forme et, avant même d'être gréé, sa silhouette élancée commença à inquiéter les Canadiens. Il portait haut son étrave dépouillée, un peu comme le *Bluenose*, et semblait avoir été conçu dans l'unique but de personnifier l'essence même de la vitesse.

Le comité américain l'avait déjà choisi comme challenger et le *Columbia* avait complété sa première saison de pêche sur le Banc de Terre-Neuve. Il fut mis sur son trente et un pour participer à l'épreuve de qualification. Affrontant le *Henry Ford* et le vieil *Elizabeth Howard* par un vent très faible, il les humilia tous les deux. Bien qu'aucun des trois navires n'ait pu terminer la course à l'intérieur du délai imparti, le *Columbia* était loin devant le *Henry Ford* lorsque l'épreuve fut déclarée terminée. Peu après, il mit les voiles pour Halifax afin de se mesurer au champion canadien. Le *Bluenose* l'attendait impatiemment.

Les autorités américaines avaient communiqué avec Angus Walter pour lui demander s'il s'objectait à ce que Ben Pine, un propriétaire de navires de Gloucester, soit le capitaine de leur challenger. Les règlements stipulaient que le capitaine, tout comme le navire, devait être un pêcheur actif pour être admissible. Il semblait que Pine, qui était un investisseur important dans la flotte de Gloucester, ne se rendait pas lui-même dans les zones de pêche à bord de ses navires.

Angus connaissait Ben depuis des années. «C'est un bon choix!» répondit-il.

La première course devait avoir lieu le dimanche 29 octobre. Il soufflait un vent d'environ 17 nœuds. Le *Columbia*, qui avait fait très forte impression dans la capitale de la Nouvelle-Écosse, était réputé filer comme une biche affolée dans de telles conditions. Mais sur le *Bluenose* aussi on se réjouissait du temps. Un peu moins lesté que lors des épreuves précédentes, il était aussi nerveux que son rival par vent modéré.

L'avance de 30 secondes qu'Angus avait prise au départ se dissipa lorsqu'il ralentit au niveau de la deuxième bouée, permettant ainsi au capitaine du *Columbia*, Ben Pine, de se maintenir à ses côtés jusqu'à la troisième bouée. Ils l'atteignirent ensemble. Ils se livrèrent alors à ce qui est devenu le plus célèbre duel des annales de l'International Fishermen's. Dans une lutte à finir pour profiter du vent, étrave contre étrave, Pine profita de l'avantage de sa position pour forcer Angus à se diriger vers les eaux vertes à l'intérieur de la bouée. Utilisant toute sa ruse, le petit capitaine de Lunenburg tenta de faire lâcher prise à son adversaire, mais Pine s'accrocha comme une sangsue.

Le *Bluenose* se trouvait maintenant à un jet de

pierre du haut-fond des Trois Sœurs. Le pilote cria au barreur du *Bluenose* qu'il fallait s'éloigner sinon on allait s'échouer. La réponse ne se fit pas attendre: la seule alternative consistait à éperonner le *Columbia*. Carrément pris entre deux feux, Angus opta pour la collision. Le *Bluenose* s'éloigna du haut-fond. Pine maintint son cap.

Angus fit immédiatement amener sa voile d'étai et fit ouvrir sa misaine pour naviguer toutes voiles ouvertes. Quelques secondes plus tard, la grand-bôme du *Bluenose* heurta les haubans du grand mât du *Columbia* et poursuivit sa course vers l'avant en balayant les étais de misaine du navire yankee et en s'emmêlant dans son foc. Le *Bluenose* tira impudemment son adversaire pendant presque une minute.

L'affaire était réglée! Le *Bluenose* se dégagea soudainement et s'envola vers le port comme s'il avait tous les diables de l'enfer à ses trousses, franchissant la ligne d'arrivée avec un temps de 1 h 43 min 42 s, contre 1 h 45 min 2 s pour le *Columbia*. Une faible marge, mais une victoire certaine. De toute évidence, les Lunenbourgeois avaient eu raison de se méfier du *Columbia*!

La nuit qui suivit fut vite troublée par des disputes orageuses. Ben Pine n'avait pas joué franc jeu en poussant Angus vers les rochers... et Angus était sujet à un protêt de la part de Pine en vertu de son «remorquage» d'une minute. C'était à n'en pas douter une question de règlements, si toutefois quelqu'un voulait tenter de les faire appliquer. Mais les deux capitaines n'y songeaient même pas, tous deux se sentant également coupables. Ils oublièrent l'incident et songèrent plutôt à la prochaine course comme devant établir définitivement lequel était le meilleur.

Le vent n'était pas au rendez-vous le mardi suivant et la course fut annulée. Le mercredi matin, deux équipiers désœuvrés du *Bluenose* maugréaient sur le pont arrière contre l'absence de la moindre brise. L'un d'eux, qui taillait avec fureur un bout de bois, s'arrêta brusquement pour observer un insecte qui s'était posé sur son œuvre.

«Albert, viens ici», s'écria-t-il. Et, son compagnon s'étant approché: «Qu'est-ce que c'est que cet insecte-là?»

Albert jeta un coup d'œil et répondit: «Bon sang, Dutchie, tu ne sais pas ce que c'est? C'est une bête à bon Dieu!»

«C'est ça!» dit Dutchie en hochant la tête. Et, se retournant avec un regard admiratif vers son équipier: «Ma parole, Albert, tu as toute une paire d'yeux!»

«Ouais! Et j'ai aussi un très bon nez – pour le vent. Je sens que la brise se lève!»

C'était bien le cas: un faible vent de huit nœuds, mais du vent quand même. À peine assez pour donner le départ, puisque les officiels décommandèrent la course aussitôt. Mais la suite allait donner raison au nez d'Albert. Le vent confondit tout un chacun en s'élevant pour de bon. Les deux navires poursuivirent leur course... d'une manière officieuse, bien entendu.

Le *Columbia*, délesté et plus léger que jamais, avait déjà une bonne avance lorsque la course fut rappelée, mais avec l'arrivée du vent, le *Bluenose* allait rapidement rétablir les choses. À la fin de la course, il était déjà bien amarré au quai lorsque le *Columbia* franchit la ligne d'arrivée!

La course du lendemain était officielle. Les goélettes prirent le départ, poussées par un bon vent de 25 nœuds. Les spectateurs, les équipages et les capitaines savaient qu'il y aurait de l'action. En fait, la compétition avait été féroce cette année-là, chaque épreuve – à l'exemple de la première – donnant lieu à beaucoup d'animation. Cela avait été causé, au moins en partie, par l'incident qui avait marqué la première course.

Les officiels avaient décidé d'établir une liste de règlements qui allaient s'appliquer dans l'avenir, dont un stipulant que toutes les bouées du parcours devaient être contournées du côté du large. La décision avait été prise à la suite de l'incident de la première course, qui avait mis en évidence les risques associés à un parcours qui forçait les concurrents à naviguer en eau peu profonde pour contourner les bouées de l'intérieur. Angus allait bientôt comprendre que cette règle devait être observée à la lettre!

Devançant à nouveau le *Columbia* au départ, le capitaine de Lunenburg se précipita en contournant la bouée du haut-fond du phare par l'intérieur, sachant très bien (trop bien d'ailleurs) qu'elle avait été déplacée dans le chenal pour servir de signal d'arrêt pendant la Première Guerre mondiale. Pine, pour sa part, contourna la bouée du côté du large comme le règlement le stipulait. Puis, les deux goélettes se dirigèrent vers la seconde bouée et vers la ligne d'arrivée. Le *Bluenose* termina 2 minutes et 45 secondes devant son rival.

Angus amarra son navire, tout rayonnant d'une victoire complète. Il avait conservé le titre en deux courses et son équipage parlait déjà des célébrations qui n'allaient pas manquer de souligner leur retour à Lunenburg. Leur joie fut de courte durée. Il fut presque immédiatement informé que Ben Pine avait déposé un protêt. Il affirmait qu'Angus avait illégalement contourné une bouée du côté intérieur. La colère du capitaine du *Bluenose* redoubla lorsqu'il apprit plus tard que le comité de course, après de longues et sérieuses délibérations, avait accordé la victoire au *Columbia* par défaut et que les deux concurrents étaient maintenant à égalité. Il déclara que ni lui ni son équipage n'accepterait une telle décision. Il retournait à la maison!

On lui signifia qu'un tel geste équivaudrait à déclarer forfait et que le trophée serait remis au *Columbia*. Rien n'y fit; Angus n'était pas d'humeur à subir des menaces.

«Écoutez, a-t-il dit calmement. Ben sait aussi bien que moi que cette bouée ne signifie rien sur le parcours. Elle n'a jamais rien signifié. Comme tout le monde le sait, elle a été mise là pendant la guerre non pas pour indiquer un haut-fond, mais comme signal d'arrêt en vue des inspections douanières. Maintenant, nous avons navigué sur la même distance – et qui a franchi la ligne le premier? Dites-le-moi! Ben sait très bien qu'il ne pouvait pas nous battre, alors qu'est-ce que cette histoire au sujet d'une bouée?»

Il déclara vouloir être raisonnable. Que le comité annule la course plutôt que de donner la victoire au *Columbia* sur un plateau d'argent et il accepterait de poursuivre la compétition.

Les officiels firent appel à Arthur Zwicker, le président de la Bluenose Company, pour qu'il tente de dénouer la situation. Reconnaissant l'erreur technique, Zwicker se prépara à recruter un nouvel équipage pour que le *Bluenose* participe à la troisième course, fixée au samedi, au cas où Angus refuserait de le faire. Ce fut une mauvaise décision, prise sans tenir compte des ressources d'Angus Walters qui, Zwicker l'avait oublié, n'était pas seulement le capitaine, mais aussi le propriétaire exploitant du *Bluenose*. La simple suggestion de remplacer l'équipage et le capitaine lui a suffi: il donna l'ordre d'appareiller et de mettre le cap sur Lunenburg.

Ben Pine ayant refusé de faire le parcours seul avec le *Columbia* pour réclamer le trophée, le comité de course déclara que la compétition était nulle et qu'aucun des deux capitaines n'avait eu le dessus, remettant la moitié du prix en argent aux Américains. Cela mit un terme aux régates internationales pendant huit années. De leur côté, les Lunenbourgeois tentèrent de tromper leur ennui en construisant des navires capables d'affronter leur propre champion.

Le premier fut le *Mahaska*, construit de façon empirique et prétendument doté de pouvoirs magiques à cause des trois «A» que comportait son nom. C'était, semble-t-il, sa seule qualité, puisqu'il ne fut pas de taille à se mesurer au *Bluenose*.

Vint ensuite le *Haligonian*, conçu par nul autre que Bill Roue, qui voulait sans doute démontrer qu'il était le premier responsable des succès du *Bluenose*.

Le *Haligonian* était un très grand voilier selon ses dimensions, mais le profil de son pont était droit comme l'arête dorsale d'un thon. Plutôt que de chevaucher les vagues comme le *Bluenose* le faisait, il passait carrément à travers. Dès qu'il y avait le moindre vent, tous les membres de son équipage étaient trempés jusqu'aux os. Lancé en 1925, il enregistra quelques saisons de pêche en haute mer et se présenta à une régate spéciale contre le *Bluenose* en octobre 1926. Le *Haligonian* fut difficile à manœuvrer dès le départ. Ses propriétaires déclarèrent que le navire s'était précédemment arqué sur un haut-fond dans le détroit de Canso et qu'il avait commencé à avoir du mou dans la barre. Le *Bluenose* aussi s'était échoué sur les côtes de Terre-Neuve; bien plus, il avait échappé de justesse à un coup de vent près de l'île de Sable. Les excuses du *Haligonian* ne seraient donc reçues que par des railleries.

Les deux goélettes de Lunenburg se rencontrèrent quatre fois à la ligne de départ. À la fin de la première course, le *Haligonian* était si loin derrière qu'on ne pouvait l'apercevoir du *Bluenose*! Les deux courses suivantes ne purent être complétées à l'intérieur du délai prescrit à cause de vents exceptionnellement faibles. La quatrième et dernière course vit le *Bluenose* franchir la ligne d'arrivée avec sept bonnes minutes d'avance.

Si les Lunenbourgeois avaient espéré construire une meilleure goélette que le *Bluenose*, leurs espoirs s'étaient envolés à jamais. Le *Bluenose* retourna à la pêche et son équipage de compétition se tourna vers d'autres épreuves. Ainsi disparut pour un temps la magnifique vision de deux coques coiffées de blanc, luttant l'une contre l'autre, entre les mains de marins aguerris et sous les regards de tous.

Il se nommait le *Gertrude L. Thebaud*. Il était petit et racé. Si jamais une goélette avait eu une allure leste et ravissante, c'était bien le *Thebaud*! Il se présenta avec des airs de collégienne de Boston – des meilleurs quartiers – et c'était bien son droit, puisqu'il était le représentant de cette ville dans les régates internationales en haute mer. Comme les pêcheurs de Gloucester avaient été incapables de vaincre le *Bluenose*, les intellectuels de Boston avaient décidé de tenter leur chance. Le *Gertrude L. Thebaud* annonçait clairement leurs intentions en même temps qu'ils se préparaient à les réaliser.

Ce joli navire sur lequel reposaient les espoirs

des Américains avait été construit à Essex, au Massachusetts. Le destin aidant, il allait devenir la seule goélette à vaincre le *Bluenose*, non pas bien sûr dans le championnat canadien de l'International Fishermen's comme l'auraient souhaité ses commanditaires, mais dans une compétition spéciale tenue en octobre 1930. Néanmoins, une défaite est une défaite, peu importent les circonstances.

L'infatigable Sir Thomas Lipton – celui-là même qui n'abandonnait jamais ses efforts pour remporter la coupe America – avait volontiers accepté d'offrir un trophée pour couronner le vainqueur d'une régate internationale de goélettes. Le défi fut lancé au *Bluenose* et le surprit en plein travail. Tout comme une femme de pêcheur relève ses jupes pour courir du jardin à la maison au moindre bruit suspect, le *Bluenose* revêtit de nouvelles voiles et se précipita vers Boston pour relever le défi.

Le *Bluenose* était déjà vieux et peut-être un peu fatigué de défendre son titre. Mais il était toujours partant! Le 9 octobre, il se présenta aux côtés de son jeune rival et franchit la ligne de départ 1 minute et 10 secondes derrière le *Thebaud*, commandé par le vieil adversaire amical d'Angus, Ben Pine. Dès le départ, Angus éprouva des difficultés. Les nouvelles voiles du *Bluenose* s'étaient trop étirées pendant le voyage vers Boston, ce qui le ralentissait considérablement. Faisant tout son possible, il ne put faire mieux que de se traîner deux fois autour du parcours triangulaire de 18 milles, terminant 12 minutes et 37 secondes derrière le challenger américain.

On s'empressa de corriger le défaut des voiles. Angus, qui ne cherchait aucune excuse, fit aussi réparer une section lâche de la quille pour améliorer ses chances et promit une meilleure performance au cours de la deuxième course.

«Il est certain que le *Bluenose* n'est pas à son meilleur, a-t-il dit, mais quelqu'un doit gagner et ce n'est pas encore fini!»

Mais le samedi, alors que le *Bluenose* se comportait mieux, la course dut être rappelée parce que le vent tombait. Même chose le lundi suivant: le *Bluenose* était devant lorsque la course fut arrêtée. Le mardi, la course fut à nouveau reportée faute de vent et les équipages des deux navires se mirent à prier pour que le vent se lève.

On dit qu'il existe un vieux remède contre l'absence de vent; un remède respecté depuis toujours par les marins du monde entier. Comme toutes les autres superstitions marines, on y croit ou on n'y croit pas. À bord d'un navire du gouvernement canadien qui devait transporter le comité de course et les journalistes dans le sillage des concurrents, Agnes McGuire, une journaliste canadienne ayant résidé à Lunenburg, sentit que la situation commandait n'importe quel remède disponible, qu'il fût superstitieux ou non. Elle se souvint des paroles des pêcheurs qui affirmaient que, parfois, la seule façon d'obtenir du vent consiste à «l'acheter»! Réunissant toutes les pièces de monnaie qu'elle avait dans son sac, alors que le navire manœuvrait pour s'amarrer au quai, elle se dirigea vers le bastingage et lança son offrande à la mer en l'accompagnant d'une prière fervente pour le lendemain. Le mercredi, quand le jour se leva accompagné d'un bon vent, qui pouvait affirmer que ce n'était pas parce que les divinités de la mer avaient été correctement sollicitées? Les deux goélettes prirent le départ comme deux chiens qu'on lâche.

Cette fois, à cause de la hauteur des vagues, les officiels jugèrent que les concurrents ne pourraient voir ce qu'Angus avait désigné comme étant des «bouées naines» sur le parcours (une remarque qu'il devait regretter). Ils rappelèrent donc la course. Angus était noir de colère. Qui pouvait le blâmer? Malgré le vent et les vagues, il avait réussi à faire réparer temporairement une barre de flèche qui se détachait. Un peu plus tard, alors que le *Bluenose* était bien gîté, un craquement sec avait retenti. Les mâchoires de la grand-bôme s'étaient ouvertes et la grand-voile risquait de se déchirer.

«Tous à la grand-bôme!» avait crié Angus, et l'équipage s'était mis au travail comme un seul homme. La force légendaire des marins de Lunenburg avait été confirmée ce jour-là sur le pont du *Bluenose*. Au beau milieu d'un coup de vent, chacun y allant de toutes ses forces, la grand-bôme avait été ramenée contre le grand mât et attachée en place.

«Et puis, allait plus tard se vanter l'un des équipiers, Angus n'a pas eu besoin de se mettre nez au vent ni de perdre la moindre parcelle de vent. C'était à nous de faire notre travail!»

Considérant que la grand-voile représentait 4 000 pieds carrés de toile gonflés de vent, un tel exploit exigeait une force musculaire exceptionnelle. Mais cela ne faisait qu'attiser la rage du capitaine et sa frustration de voir la course arrêtée, même si cela signifiait la possibilité de procéder à des réparations permanentes.

La course du 17 octobre fut remise faute de vent, mais le samedi apporta une brise convenable. Malgré des vents modérés, le *Bluenose* prit à nouveau les devants. À mi-course, il disposait d'une avance de cinq minutes. Angus se mit alors à tirer des bords à l'inverse de son rival. C'était la mauvaise tactique. Il

Le Gertrude L. Thebaud *était petit, élancé et ravissant. Cette goélette très voilée se reconnaissait à sa corne de grand mât pointant vers le ciel. Le* Thebaud *fut le seul challenger à avoir vaincu le* Bluenose, *lors des régates pour le trophée Lipton tenues au large de Gloucester en 1930. Au cours des deux dernières saisons de l'International Fishermen's, il s'est lui aussi incliné devant la supériorité du champion canadien. Le* Thebaud *s'est brisé contre la jetée de La Guaira, au Vénézuela, au cours d'une tempête en 1948.*

Le Bluenose *devant le* Gertrude L. Thebaud.

perdit toute son avance, le *Thebaud* passa devant et conserva la première place.

Quelques années plus tard, Angus expliqua la cause de son erreur dans la dernière épreuve.

«En course avec le *Bluenose*, je n'ai jamais aimé suivre les conseils des autres. Au cours de cette régate, nous avions un pilote de Nouvelle-Angleterre à bord. Il m'a dit qu'en inversant les bordées et en restant à l'abri des côtes, nous irions chercher un vent favorable du nord-ouest. Je l'ai fait et nous avons plutôt trouvé un faible vent du sud-ouest, puis, plus de vent du tout. Nous étions en difficultés car nous étions près d'une côte sous le vent. Je me suis souvent demandé pourquoi j'avais suivi les conseils de ce type. Bien sûr, c'était mon erreur et le *Thebaud* a su en profiter.»

La nouvelle se répandit à travers l'Amérique! Enfin, le *Bluenose* avait été vaincu! La petite goélette de Boston avait réussi l'impossible. Les vainqueurs acceptèrent fièrement le trophée Lipton et lancèrent immédiatement au *Bluenose* un nouveau défi, cette fois dans le cadre du championnat suivant de l'International Fishermen's, en octobre 1931. Ils allaient s'y préparer avec soin!

Rares étaient ceux qui, ayant un véritable esprit sportif, ne reconnaissaient pas de bon cœur la victoire des Américains. Dieu seul connaît leurs efforts répétés pour que les circonstances puissent assombrir leur triomphe de quelque façon que ce soit. Il était cependant difficile pour les Lunenbourgeois d'accepter une défaite dans pareilles circonstances. Le *Bluenose* avait perdu sa première course dans des conditions impossibles. À la manière dont ses voiles faséyaient, ayant été étirées plus que de raison, un simple chaland gréé d'un mât de fortune et d'une voile d'étai aurait pu lui tenir tête. Et puis, le mercredi, alors que le *Bluenose* avait pris une avance de 2 milles après 12 milles de parcours, le comité avait décidé d'arrêter la course – non pas à cause d'un manque de vent (il ventait très fort), mais parce que les dirigeants doutaient que les capitaines puissent apercevoir les prétendues «bouées naines»!

«Pourquoi ne nous laissent-ils pas courir jusqu'à ce qu'un problème sérieux survienne, tempêtait Angus après chaque rappel de course. Nous étions tout à fait disposés à continuer!»

Et les marins de Gloucester l'étaient aussi!

À la fin de la course qui avait donné sa seconde

victoire au *Thebaud*, les Lunenbourgeois ne pouvaient oublier que le *Bluenose* avait pris une avance de 5 minutes après 18 milles de parcours. Le champion canadien avait été par la suite devancé de façon honnête, à cause d'une erreur tactique de son capitaine, mais cela ne signifiait pas que le *Thebaud* était plus rapide que le *Bluenose* – même aux yeux de ses plus chauds partisans. Et malgré cette défaite de bon aloi – celle de la course finale –, le *Bluenose* n'avait perdu qu'une seule véritable épreuve, pas le championnat. Aux yeux des Lunenbourgeois, cette compétition n'avait rien prouvé. Ils trépignaient d'impatience dans l'attente de la prochaine... Le plus tôt serait le mieux!

Le défi que les Américains avaient si rapidement lancé semblait confirmer qu'ils partageaient les mêmes sentiments, en dépit de leur exaltation triomphante toute naturelle. Rien d'étonnant donc à ce que les Canadiens aient volontiers relevé le défi et se soient entendus avec les Américains pour tenir une nouvelle régate en octobre de l'année suivante. Les Yankees étaient confiants et impatients. Les Canadiens étaient tout aussi emballés à l'idée d'un nouveau départ.

L'enthousiasme qui accueillit les deux voiliers à Halifax en cet automne de 1931 était avivé par le fait que plusieurs sentaient que les régates internationales de goélettes tiraient sans doute à leur fin. Le commerce du poisson vivait des changements majeurs et des développements qui allaient modifier tous les aspects de l'industrie. De nouvelles méthodes de transformation et de mise en marché commençaient à exercer de fortes pressions à la hausse sur la demande. Les méthodes de pêche et d'acheminement du poisson jusqu'à la table familiale se transformaient elles aussi. Le chalutage et la pêche à la drague, deux méthodes permettant de prendre plus de poissons plus rapidement, commençaient à supplanter les lignes mouillées par des doris. Déjà, la plupart des voiliers avaient dû subir l'humiliation de se voir équipés de moteurs diesel. Combien de temps encore pourrait-on retarder la disparition des véritables goélettes?

Le *Bluenose* aussi était marqué par le passage des ans. Il avait maintenant 10 ans et il n'y aurait aucune honte à ce qu'il s'incline devant un rival aussi jeune et aussi alerte que le *Thebaud*, qui était âgé d'à peine un an. Le vieux champion avait absorbé tant d'eau que sa ligne de flottaison mesurait deux pieds de plus que sur les plans originaux. À ses premières années, il exigeait quelque 70 tonnes de lest; maintenant, 50 tonnes suffisaient! En outre, comme l'expliquait Angus, lorsque le *Bluenose* était resté échoué sur le côté pendant toute une semaine sur les fonds de la baie Placentia, l'année auparavant, il avait subi des dommages: il fallait maintenant lui mettre 10 tonnes de lest de plus à tribord qu'à bâbord.

Le plus étonnant, c'est qu'il se manœuvrait toujours comme avant et qu'il donnait l'impression de n'avoir rien perdu de ses qualités marines. En fait, il semblait voguer mieux que jamais et il allait très bientôt en fournir la preuve.

Au cours de la première épreuve des régates de 1931, le *Bluenose* devançait le *Thebaud* de 35 minutes lorsque le délai prescrit expira, mettant fin à la course sans qu'il y ait un vainqueur. C'était le samedi. Le lundi suivant, par un vent qu'Angus et Ben Pine auraient souhaité plus fort, le *Bluenose* franchit la ligne d'arrivée 32 minutes avant son rival américain. On ne pouvait même pas apercevoir le *Thebaud*, qui dut subir la même humiliation que le *Columbia* quelques années auparavant en rentrant au port pour trouver son adversaire déjà bien amarré.

Angus ne put s'empêcher de faire des commentaires impertinents aux journalistes!

«Vous savez, je me suis senti bien seul là-bas aujourd'hui, dit-il avec des étincelles dans les yeux. Le *Thebaud* ne nous tenait pas vraiment compagnie – dans aucune des deux épreuves, d'ailleurs – et ce n'est pas très amusant de toujours se battre contre la montre.»

Quant au capitaine Ben Pine, il ne pouvait que redoubler d'efforts à mieux préparer son voilier pour la prochaine épreuve. Il avait beaucoup à faire. Il avait ajouté 10 tonnes de lest pour venir de Gloucester et il ne faisait aucun doute que cela nuisait à la manœuvrabilité du *Thebaud*.

«Ce n'est pas une simple question de répartition du lest, se plaignait-il. Il y en a tout simplement trop... et il y a d'autres choses à faire. Les voiles ne se bordent pas comme elles devraient et le bateau manque d'ardeur. Nous devons corriger tout cela, mais je ne crois pas que nous pourrons battre le *Bluenose* cette fois-ci.»

Il ne se trompait pas. Le mardi, le *Bluenose* remporta sa seconde victoire consécutive en franchissant la ligne d'arrivée avec une avance décisive de huit minutes.

Les résultats avaient été plus que suffisants pour convaincre les Lunenbourgeois que le *Thebaud* n'avait jamais représenté une véritable menace à la réputation de leur champion. Ils retournèrent à

Lunenburg et y furent accueillis en héros par des fanfares et un défilé de la victoire. Ils faisaient bien d'en profiter, car sept années allaient s'écouler avant que ne se présente une nouvelle occasion de cette nature. Il fallut attendre l'automne de 1938 pour qu'ait lieu le championnat suivant. Le *Bluenose* allait profiter de sa dernière chance pour confirmer son titre de meilleure goélette de course de tous les temps!

À Boston, parmi les spectateurs qui observaient les deux goélettes s'approcher de la ligne de départ, en ce 9 octobre 1938, très peu réalisaient qu'ils étaient les témoins des dernières régates de l'International Fishermen's. Si quelqu'un en était conscient, personne toutefois ne fit d'effort pour que l'esprit sportif donne lieu à de nouvelles compétitions. Les régates commencèrent dans une atmosphère tendue et se terminèrent au milieu des récriminations de part et d'autre.

La formule des régates avait été modifiée. Le comité de course, au sein duquel les représentants américains étaient majoritaires, avait décidé que la victoire irait à la goélette ayant remporté trois courses. Il y aurait donc un maximum de cinq épreuves.

«Je leur ai dit qu'ils pouvaient bien organiser sept courses s'ils le voulaient, rapporta plus tard Angus. S'ils ne pouvaient pas battre le *Bluenose* en trois courses, je ne voyais pas comment ils pouvaient espérer le faire en cinq.»

Angus déclara qu'il craignait moins la perspective d'une défaite que les interminables discussions auxquelles il devait faire face. À ses yeux, elles semblaient lui tomber dessus de partout. Pour leur part, les Américains prétendaient avoir été défaits, non pas tant par les qualités du *Bluenose* que par les décisions du capitaine américain Charlie Lyons, qui était président du comité de course. Ils lui reprochaient d'avoir autorisé un départ alors qu'il n'y avait pas assez de vent et de les avoir retenus au quai alors qu'il ventait suffisamment. Angus répliqua en disant qu'il ne voulait plus jamais participer à des régates dans les eaux américaines: il faudrait que le *Thebaud* vienne défier le *Bluenose* dans ses propres eaux, à Halifax.

On ne peut guère reprocher son amertume au capitaine de Lunenburg. Ses propres associés avaient refusé de financer les préparatifs et les dépenses liées à la participation aux régates de Boston. Les autorités de Gloucester intervinrent et lui garantirent 8 000 $ pour ses dépenses, dont la moitié payable en avance de fonds qui n'est jamais venue. Les protestations d'Angus à son arrivée en Nouvelle-

Angleterre lui rapportèrent à peine 2 000 $. Au terme des régates, on lui devait 9 000 $, en incluant le prix en argent. Il dut attendre plusieurs mois et recourir à des avocats pour obtenir 4 300 $ à titre de règlement final.

Il n'a même pas eu le plaisir de recevoir son trophée lors du banquet officiel qui clôturait les régates. On lui répondit tout simplement que la coupe avait disparu. On la lui remit finalement après le banquet, bien enveloppée dans du papier journal.

Après deux épreuves, les Américains décidèrent de contester la longueur de la ligne de flottaison du *Bluenose*. Les mesures furent prises sous la surveillance des officiels par le concepteur Bill Roue et, bien entendu, elles dépassaient de 2 pieds les 112 pieds indiqués dans les plans originaux. Comme c'était la seule façon de corriger le défaut, on retira de la goélette cinq tonnes de lest et une génératrice. Ironiquement, la modification se retourna contre les Américains; ainsi allégé, le vieux champion se comportait comme une jeune recrue.

Aucun des deux navires ne pouvait être considéré comme un agneau du printemps. Le *Thebaud* avait maintenant huit ans et le *Bluenose* approchait de son dix-huitième anniversaire. Cependant, son comportement ne laissait aucunement voir son âge.

Au cours de l'épreuve d'ouverture, le 9 octobre, le *Thebaud* prit plus de 3 minutes d'avance au départ, en perdit au moment où il passait la marque des 24 milles et en reprit un peu pour franchir la ligne d'arrivée 2 minutes et 56 secondes devant le *Bluenose*. Au beau milieu de la bataille, le *Bluenose* avait perdu son mât de flèche de misaine, ce qui l'avait privé de son foc en l'air et de sa flèche de misaine – cependant, la victoire était hors de portée bien avant cela. Angus accepta la défaite – puisque c'en était bien une – avec un esprit sportif. Son seul commentaire fut qu'un seul navire pouvait l'emporter et que son adversaire avait fait une très bonne course.

Se riant des superstitions marines en ce 13 octobre, le *Bluenose* devança son challenger au départ de la deuxième épreuve. Fendant les vagues et naviguant au près, il accrut son avance jusqu'à plus de 12 minutes. Suivant l'exemple du *Thebaud* dans la première épreuve, il en perdit un peu et puis en regagna pour terminer la course avec une avance de 12 minutes.

Quatre jours plus tard, lorsqu'il se présenta à la ligne de départ, le *Bluenose* semblait plus ardent que jamais. Dans le sillage du *Thebaud* au départ, il le doubla rapidement pour lui prendre 4 minutes et 20 secondes à mi-course. Refusant encore une fois de se laisser devancer, il chevaucha les vagues contre le vent pour franchir la ligne d'arrivée 6 minutes et 39 secondes devant son rival.

Le 24 octobre, sous un vent qui variait entre 8 et 25 nœuds, le *Thebaud* créa l'égalité. La pilule fut difficile à avaler pour les Lunenbourgeois. Le *Bluenose* était loin devant lorsque son pataras lâcha brusquement. La manœuvre nécessaire pour amener le navire nez au vent et faciliter le largage du foc en l'air mit en danger les deux marins en tête de mât. Cela prit du temps – trop de temps – et malgré tous les efforts de l'équipage, il n'était plus possible de rattraper le *Thebaud*. Ce dernier termina la course – selon le chronométrage de son propre équipage, le bateau du comité de course s'étant égaré dans le brouillard – avec une avance de cinq minutes sur le champion.

Angus avala sa déception.

«Le *Thebaud* nous a battus, reconnut-il en débarquant sur le quai, mais n'oubliez pas que demain est un autre jour!»

Et ce fut le cas. Le 26 octobre 1938 – un jour que les Canadiens ne sont pas près d'oublier – le *Bluenose* se précipita pour défendre une dernière fois son titre de Souverain des mers. Il se présenta à la cinquième et décisive épreuve, ses hautes voiles tendues inclinées en une révérence à la mer, comme lui rendant un dernier hommage, sachant peut-être qu'il n'y aurait plus de batailles, qu'il n'y aurait plus d'occasions d'accroître une réputation déjà sans précédent.

Il remporta la victoire avec une maigre avance de 2 minutes et 50 secondes, mais c'était quand même une victoire... décisive, finale! Durant la dernière étape, la poulie de drisse du foc en l'air s'était envolée. Sans cela, son ultime victoire aurait sans doute été plus spectaculaire. Il remporta néanmoins sa dernière épreuve, non pas comme le vieux vétéran fatigué qu'il était, mais comme s'il avait le feu aux poudres.

Surgissant à la ligne d'arrivée, le magnifique voilier de Lunenburg termina sa course dans un silence aussi spontané que l'ovation tumultueuse qui le suivit, en hommage à la plus grande de toutes les goélettes. Les bravos étaient amplifiés par l'écho de part et d'autre de la baie. Ils n'auraient pu être plus retentissants, même si la goélette avait remporté la victoire devant ses propres partisans. Les Américains, malgré tous leurs efforts et leurs ennuis, savaient reconnaître un vrai champion. Ils ne pouvaient pas, ils n'allaient pas priver le *Bluenose* de leur admiration en ce moment de triomphe suprême .

Et c'est ainsi que la magnifique coque qui avait glissé dans l'eau du port de Lunenburg, près de 18 ans plus tôt, parvint au terme de sa glorieuse épopée. Le *Bluenose* avait ramené le trophée international au Canada dès sa première tentative et il ne l'avait plus laissé partir! Il avait démontré une supériorité exceptionnelle dans tous les aspects de la navigation, par tous les temps, et aucun de ses valeureux adversaires n'avait eu le dessus sur lui.

Finalement, aussi bien chez ceux qui avaient cherché à lui ravir son titre que chez ceux qui avaient toujours cru que c'était impossible, personne ne pouvait contester la prétention de son indomptable petit capitaine: «Le bois du navire qui battra le *Bluenose* n'est pas encore coupé!»

LA RENAISSANCE
D'UNE LÉGENDE

Dès le lever du jour, ils s'étaient mis en route, roulant d'abord rapidement, puis ralentissant à mesure que la circulation devenait plus dense. Très bientôt, les autoroutes prirent l'aspect de convoyeurs géants qui déversaient leur flot de véhicules dans les terrains de stationnement ou dans les rues secondaires encombrées.

Il y en avait des milliers. Comme les bateaux de toutes sortes déjà rassemblés dans le port, les voitures étaient bondées. De toute évidence, les gens s'attendaient à ce que ce soit un jour unique et les bouchons de circulation faisaient partie du plaisir. Si votre pare-brise arborait un autocollant vous identifiant comme un invité officiel, vous étiez dirigé par l'un des nombreux préposés vers une aire de stationnement préassignée. De là, vous pouviez emprunter l'un des 12 autobus qui faisaient la na-vette jusqu'au centre des activités. Sinon, vous pouviez suivre la foule à pied et vous diriger vers l'est de la ville, là où se trouve le chantier naval, niché entre la rive et les collines, formant ainsi un amphi-théâtre naturel.

Un simple coup d'œil pouvait révéler que les meilleures places avaient été rapidement occupées par les premiers arrivants, qu'ils fussent munis ou non d'une invitation. Vous pouviez alors vous préci-piter vers une pile de bois, sur le toit d'une maison ou encore sur l'un des quais ou l'une des cales. Si vous préfériez le pont d'un navire ancré près de la jetée, il y en avait plusieurs. Tout aussi nombreuses étaient les places libres dans les arrière-cours s'étendant autour du port, des deux côtés du chantier naval. En vous tournant vers les collines, derrière l'estrade temporaire depuis longtemps chargée d'invités, vous pouviez voir leurs flancs couverts de spectateurs.

Mais quel que fût votre point d'observation, que vous fussiez bien assis ou en équilibre précaire, votre regard était fasciné par le devant d'un grand hangar rouge. À travers l'ouverture, vous pouviez apercevoir la proue d'une coque noire et élancée dont les côtés disparaissaient dans l'obscurité du bâtiment. Plus tôt, en traversant le chantier, si vous étiez passé devant la grande porte, vous n'auriez pu résister à l'envie de vous arrêter et de tenter de percer l'obscurité pour suivre des yeux la planche noire du plat-bord du navire, une dizaine de pieds au-dessus de votre tête. Et vous auriez alors aperçu les lettres dorées et sculptées qui formaient le célèbre nom: *Bluenose*!

Quelque chose de nouveau y avait toutefois été ajouté: le chiffre romain «II», qui resplendissait avec autant d'éclat que les lettres le précédant. Alors, si vous étiez de ceux qui avaient souhaité l'arrivée de cet événement, ou peut-être même de ceux qui avaient aidé à ce qu'il se concrétise (et ils étaient nombreux) – alors, et seulement alors, auriez-vous compris qu'un rêve allait devenir réalité.

Car, dans quelques petites minutes, allait émerger du hangar le seul hommage approprié à la goélette canadienne disparue depuis longtemps, le *Bluenose*: une réplique exacte et fidèle du célèbre voilier. La légende du *Bluenose*, qui avait toujours refusé de s'éteindre, allait prendre un nouveau départ avec cette incroyable réincarnation.

Les dernières fanfares s'amenèrent vers le chantier. Le dernier autobus fit descendre ses passagers trois minutes avant le moment tant attendu. Les haut-parleurs dirigés vers les collines et vers le port se mirent à amplifier les discours d'ouverture. Ensuite, comme il était indiqué dans le programme, commença la remise des médailles que le propriétaire du navire avait fait frapper spécialement pour cette occasion exceptionnelle.

Le lieutenant-gouverneur, H. P. MacKeen, félicita les constructeurs, les commanditaires et – de manière encore plus appuyée – la municipalité, pour qui cette journée était un motif de réjouissance. Il décerna avec plaisir la deuxième médaille au gouverneur général du Canada. Il y en avait aussi une pour le premier ministre de la Nouvelle-Écosse, l'Honorable Robert L. Standfield, qui fut acceptée en son absence par le ministre provincial de l'Industrie et du Commerce, l'Honorable E. A. Manson, qui en reçut également une personnellement.

Les chefs de gouvernement des autres provinces de l'Atlantique vinrent tour à tour recevoir la médaille souvenir frappée à l'effigie du *Bluenose* et de sa réplique et portant la date du jour. Le maire de Lunenburg, le docteur R. G. A. Wood en reçut aussi une, de même que les frères John et Fred Rhuland, constructeurs du *Bluenose II*, dont le père George Rhuland avait été cofondateur du chantier naval. On présenta aussi une médaille au contre-amiral Hugh P. Fullen, retiré depuis peu de la Marine canadienne et présent aux cérémonies à titre de commodore de la Nova Scotia Schooner Association.

Jusqu'à ce point, les médailles représentaient surtout un souvenir de l'événement, comme chacun en était conscient. Les trois autres remises de médailles avaient une autre signification, plus personnelle et plus historique. La première fut décernée à Audrey Smith. Alors qu'elle était la jeune fille du cofondateur du chantier naval, le regretté Richard Smith, elle avait eu l'honneur de baptiser le *Bluenose*, au printemps de 1921. La foule applaudit en signe d'approbation lorsqu'elle reçut en même temps que la médaille un baiser chaleureux du colonel Sidney Oland, président de l'entreprise qui avait financé la construction de la nouvelle goélette. Vint ensuite nul autre que W. J. Roue, le célèbre concepteur du *Bluenose*, alors octogénaire, et très heureux d'être là pour assister au lancement de sa réplique.

Les applaudissements fusèrent lorsque Bill Roue se leva pour recevoir sa médaille... et un murmure suivit lorsqu'il pria qu'on lui pardonne de ne pas faire de discours. Le célèbre créateur du *Bluenose* n'avait jamais été «porté sur les mots» et il avait l'habitude de se défiler – la foule le savait et le comprenait. Quelques instants plus tard, les acclamations retentirent lorsque le capitaine Angus Walters, le réputé skipper du grand champion, fut appelé à se présenter pour être honoré. Le vieux capitaine rayonnait de joie en recevant sa médaille. Nul autre que lui ne pouvait autant apprécier la signification de cette journée, ni en éprouver le même plaisir.

Cependant, tout comme les spectateurs présents, il eut du mal à contenir ses émotions lorsqu'on y ajouta un autre geste honorifique. Le colonel Oland tenait dans la lumière un splendide certificat reconnaissant la valeur du grand marin pour qui il avait été spécialement conçu. Avant de remettre le certificat, le colonel hésita et réfléchit un moment: «Je vais vous le lire», déclara-t-il au grand plaisir de la foule.

«Présenté au capitaine Angus Walters à l'oc-

Lunenburg, le 24 juillet 1963.
Le colonel Sidney Oland, dont la firme est propriétaire du Bluenose II,
présente un certificat commémoratif au capitaine honoraire Angus Walters
avant le lancement de la réplique du célèbre voilier qu'il a commandé.

casion du lancement de la goélette *Bluenose II*, réplique du *Bluenose* original, en témoignage de son assignation et de son acceptation du titre de capitaine honoraire du navire, et en reconnaissance de la place spéciale et durable que l'immortel *Bluenose*, *champion international jamais défait et Souverain des mers, s'est taillée dans les cœurs des Canadiens par ses exploits et ses triomphes sous la gouverne de son Maître marin.*»

Le capitaine Angus savoura pleinement l'émotion du moment tandis que les applaudissements de la foule se répercutaient autour de lui.

«C'est le jour le plus émouvant de ma vie», dit-il calmement.

Puis, ayant été convaincu qu'on voulait vraiment l'entendre parler, il prononça le meilleur dis-

cours de la journée!

Lorsqu'il retourna à son siège, toutes les personnes présentes acclamèrent une nouvelle fois cet homme qui faisait autant partie de la légende du *Bluenose* que le navire lui-même.

Parmi les autres médailles remises précédemment, l'une fut décernée à Janet Hirtle, la Reine de la mer de l'Exposition de pêche de Nouvelle-Écosse de 1962... que le colonel Oland présenta comme une «personne que quiconque aimerait embrasser», s'empressant de démontrer que «quiconque» incluait la personne qui parlait.

Alors qu'il ne restait plus que quelques minutes avant le moment attendu, cette sirène à la chevelure sombre présenta un bouquet de roses à madame Sidney Oland, qui allait baptiser la goélette.

*Ellsworth T. Coggins,
commandant du* Bluenose II,
*autrefois capitaine
de la réplique du* Bounty.

*(ci-dessus) – Pendant plus de trois heures, une file ininterrompue
de voitures s'est dirigée vers la ville, amenant des milliers de
visiteurs et d'invités pour célébrer le retour du* Bluenose.

*(ci-dessous) – Bien supporté et encouragé, le vieux capitaine Angus Walters savoure un moment
inoubliable en se préparant à enfoncer un clou en or dans la quille de la réplique de son célèbre
navire. Derrière lui, de gauche à droite, Victor Oland, le constructeur Fred Rhuland, le concepteur W. J. Roue et le président de House of Oland, le colonel Sidney C. Oland.*

Des aumôniers procédèrent à la bénédiction du navire et le silence s'abattit sur la foule. Madame Oland se présenta à proximité de la proue et souleva la traditionnelle bouteille de champagne attachée à un ruban.

«Que Dieu bénisse et protège ce navire et ceux qui navigueront à son bord. Je te baptise *Bluenose II*.»

Tandis que le champagne ruisselait sur la proue tout autant que sur la marraine, un ordre d'une autre époque fut lancé: «Calez le navire!»

Suivit le vacarme assourdissant du martèlement des maillets – un bruit qu'on n'avait pas entendu à Lunenburg depuis longtemps. Le tapage s'arrêta un moment et reprit en crescendo jusqu'à ce que l'ordre final soit lancé aux hommes se tenant près de la quille: «Abattez les étais!»

Le navire eut un frissonnement à peine perceptible. Puis, lentement et doucement, la grande coque commença à bouger. La proue s'enfonçait à l'intérieur du hangar tandis que la poupe en sortait de l'autre côté. Le navire prit rapidement de la vitesse. Alors que le gouvernail pénétrait dans l'eau, la poupe s'inclina profondément, comme pour faire une révérence à l'élément naturel qui accueillait le navire. Dans le hangar, la proue se souleva de plus en plus, caressant presque les chevrons en signe d'adieu, avant de plonger à son tour dans les profondeurs de la marée haute. La totalité de la magnifique coque dépouillée du *Bluenose II* commença à flotter et à glisser sur l'eau.

Le lancement d'un navire en bois a toujours revêtu un caractère spécial qui fait se nouer la gorge même du plus insensible terrien. Et, si vous avez en vous la moindre petite flamme d'amour pour la mer et les bateaux, un tel événement vous transporte littéralement. C'est ce qui s'est produit – multiplié par 10 000 – en ce matin de juin, lorsque le *Bluenose II* fit son entrée dans l'Atlantique.

Parce que ce lancement était différent! Pour la plupart des spectateurs, il n'avait rien de commun avec les autres lancements ayant eu lieu auparavant, où que ce soit dans le monde. Tout autour de la baie, on pouvait entendre un tumulte assourdissant d'acclamations, de klaxons et de sirènes. Même les imperturbables goélands du port étaient affolés et volaient dans tous les sens. Après cette expérience, le passage occasionnel d'un avion de chasse en vol d'essai au-dessus de la baie paraîtrait anodin!

Il s'agissait d'un véritable orgasme pour l'esprit. La foule descendit de la colline pour voir la goélette prise en remorque; en bonne condition pour le pro-chain événement prévu au programme, elle commença à déserter le chantier naval. Des autobus attendaient pour conduire plus de 3 000 invités au Centre communautaire de Lunenburg – site de l'Exposition de pêche de Nouvelle-Écosse –, où la journée devait se clôturer. À cet endroit, Oland avait fait organiser des festivités mémorables pour couronner l'événement.

La foule s'entassa dans la salle principale et déborda même sur le curling avoisinant, où des tables alignées supportaient un buffet gargantuesque mettant en vedette tous les produits de la mer. D'autres tables installées sur les côtés remplissaient les fonctions de bars temporaires à l'intention de ceux qui avaient la gorge sèche.

À l'entrée principale, un marin retardataire interpella un invité dont le verre indiquait clairement qu'il s'était rendu à l'intérieur.

«Hé! dit le nouvel arrivant, où est-ce qu'on peut trouver quelque chose à boire?»

La réponse fut enthousiaste. «Tu n'as qu'à entrer, mon vieux... Nom de Dieu, je n'ai jamais rien vu de pareil! Ils en ont des doris pleins!»

Et c'était bien le cas! Dans chaque coin, on pouvait voir un traditionnel doris, doublé d'une pellicule de plastique et rempli de glaçons. Sur la glace, 500 douzaines de bouteilles de bière bien froide, de marque «Schooner», dont les étiquettes arboraient une image du *Bluenose*.

À l'arrière de la salle, les invités se pressaient vers un comptoir où les dames auxiliaires du Fishermen's Memorial Hospital donnaient un coup de main au chef cuisinier réputé de Lunenburg, Guy Tanner, pour le service de plus de 200 gallons de sa célèbre chaudrée de poissons... un mets capable de réchauffer le gourmet le plus exigeant!

Sur la scène, un chœur d'employés de chez Oland entonnait des chansons de marins, tandis que le jeune Michael Stanbury et son groupe, les Townsmen, devaient répondre à plusieurs rappels en interprétant une chanson spécialement composée pour l'occasion: «The *Bluenose* Is Sailing Once Again!» Alors, avec un verre ou un bol de chaudrée à la main, les invités regardèrent un petit groupe d'anciens marins monter sur scène pour y être honorés. Il s'agissait de membres de l'équipage du premier *Bluenose*, qui débordaient de souvenirs et du plaisir de renouer de vieilles amitiés marines.

Sur le plancher de l'auditorium, les rafraîchissements furent vite avalés, l'atmosphère se réchauffa, les conversations s'animèrent et tous finalement

Les trois fils du colonel Sidney Oland se joignirent à lui pour se consacrer à la reconstruction du Bluenose. Don J. Oland (ci-dessus, à gauche) était responsable de son entretien et de son programme. Bruce Oland, R.C.N.R. (ci-dessus, au centre) navigua à bord du Bluenose II lors de son premier voyage, qui fut marqué par un ouragan. Victor de B. Oland (page ci-contre, en haut), qui fut longtemps propriétaire de la goélette Andare, était commanditaire et capitaine de la Nova Scotia Schooner Association.

Le jour du lancement, Michael Stanbury, un jeune auteur-compositeur des Maritimes, interprète sa nouvelle chanson «The Bluenose Is Sailing Once Again!» Il était déjà célèbre pour sa chanson «Nova Scotia Song».

Les Lunenbourgeois accueillirent de nombreux visiteurs (ci-dessous et ci-contre) qui se sont massés à tous les postes d'observation possibles pour célébrer un événement que plusieurs croyaient improbable. Une estrade avait été aménagée devant le hangar où se trouvait la goélette à l'intention d'un nombre limité d'invités – premier arrivé, premier assis!

Une photo familiale du colonel Sidney Oland et de son épouse.

Une vieille photo redécouverte récemment montre le Bluenose *original en construction. Les robustes varangues sont exposées au gel hivernal et la coque commence à peine à être couverte.*

s'accordèrent pour dire que cette journée n'aurait pu être plus mémorable. Les festivités avaient été à la hauteur de l'événement – elles n'allaient pas être oubliées de sitôt... et encore moins surpassées!

Si vous aviez été présent à cet événement mémorable, vous auriez sans doute participé volontiers à l'euphorie collective. Si tel est le cas, vous n'avez ni l'envie ni le besoin qu'on en fasse l'analyse. Mais peut-être n'avez-vous pas eu cette chance. Si, en lisant ces lignes, vous avez du mal à comprendre un tel débordement d'affection à l'endroit d'un bateau – même si ce «bateau a une âme» – et du lancement de sa réplique, il vous faut revenir en arrière et reprendre l'histoire quelques années plus tôt. Il vous faut retourner aux origines du projet de reconstruction du *Bluenose*, qui a lentement pris forme et qui a finalement suscité l'enthousiasme, puisqu'il représentait enfin une façon d'assouvir le désir ardent d'un nombre grandissant de personnes.

Pendant longtemps, si quelqu'un songeait sérieusement à construire un nouveau *Bluenose*, on n'en entendait guère parler. Pendant les années qui

suivirent son naufrage sur un récif des Antilles, les Lunenbourgeois et plusieurs autres se reprochèrent amèrement l'étroitesse de vue qui avait conduit à son humiliation. Mais ça s'arrêtait là. L'idée de faire quelque chose était encore à venir.

Ce n'est qu'au milieu des années 50 qu'un homme d'affaires de Halifax, Victor Oland, exprima une idée intéressante. Son projet n'avait rien à voir avec le *Bluenose* en tant que tel, mais il faisait référence au type de navire dont il avait été le meilleur exemple. Oland voulait faire construire une goélette comme véhicule promotionnel d'une bière dont la goélette était la marque de commerce. Il était convaincu qu'avec un tel navire – ou, encore mieux, deux navires –, il pourrait commanditer des compétitions qui susciteraient un très large intérêt. De plus, estimait-il, le projet aurait pour effet de populariser les goélettes, dont tous les membres de la famille Oland (particulièrement Victor, propriétaire d'une ancienne goélette nommée l'*Andare*) étaient d'ardents défenseurs. Enfin, le projet permettrait même d'espérer la renaissance des régates internationales de goélettes.

Ce dernier espoir était toutefois très mince, car il manquait beaucoup plus que des bateaux. Avec les changements survenus dans l'industrie de la pêche, il serait pratiquement impossible de trouver assez d'hommes pour former l'équipage ne serait-ce que d'un seul navire. Devant l'arrivée massive des chalutiers, les vieilles goélettes disparaissaient rapidement. Ainsi en allait-il de leurs équipages, qui avaient perdu tout moyen d'affiner leurs qualités marines à un niveau suffisant pour participer à des régates internationales.

D'une manière ou d'une autre, la brasserie fut victime d'une grève prolongée et le projet fut mis de côté, du moins temporairement. Lorsque l'idée put refaire surface, un événement nouveau modifia la perception du projet de Victor Oland: la construction d'une réplique du *Bounty* au chantier Smith & Rhuland de Lunenburg. Cette nouvelle donnée permit aux administrateurs de la compagnie Oland et aux nombreuses personnes de reconsidérer le projet d'un autre œil.

Le lancement du *Bounty* souleva un tel enthousiasme chez les Lunenbourgeois et chez les visiteurs qu'ils se mirent à souhaiter encore plus. Spontanément, nombreux avaient été ceux qui s'étaient exclamés: «Ce pourrait être le *Bluenose*!» La réaction ne venait cependant pas uniquement de l'émotion soulevée par le lancement d'un navire d'autrefois. On réalisait aussi que, d'un strict point de vue commercial, la réplique d'un navire historique présentait autant d'attrait que l'original – et d'une manière beaucoup plus pratique quand on observait le formidable intérêt suscité par l'étape de la construction!

La preuve en avait été fournie par les hordes de visiteurs qui, pendant les mois qu'avait duré la construction du *Bounty*, avaient transformé le quartier des quais en véritable Mecque navale. Les touristes essaimaient autour d'une ruche débordante d'activités, où des artisans constructeurs de navires – une espèce en voie de disparition – offraient le spectacle des techniques anciennes et d'outils pratiquement oubliés qu'ils manipulaient avec ingéniosité.

C'est ainsi que le désir latent de faire quelque chose pour oublier la perte du *Bluenose* donna naissance au rêve de le voir revenir. Il était vrai que le magnifique voilier avait disparu et qu'il ne reviendrait pas – mais il semblait que cette triste réalité pouvait être modifiée. Quel plus bel hommage à sa mémoire que d'entreprendre la construction de sa réplique; une opération qui, comme pour l'original, entraînerait des retombées pour son port d'attache et pour toute la province. Il s'agirait d'une attraction touristique sans égale. En jouant le double rôle de navire d'accueil pour les touristes et d'ambassadeur du tourisme local, le nouveau *Bluenose* pouvait présenter un potentiel énorme.

En apprenant que circulaient à Lunenburg des rumeurs sur la construction d'une réplique du *Bluenose*, des Canadiens de partout réagirent avec enthousiasme. Presque immédiatement, des lettres affluèrent de tout le pays. Adressées à Angus Walters, elles étaient accompagnées d'appuis qui prenaient la forme de bons vœux ou d'argent sonnant. Très rapidement, un mouvement s'organisa dans la ville pour financer la construction d'un nouveau *Bluenose* au moyen d'une souscription publique.

Même ses plus chauds partisans reconnaissaient que le projet ne serait pas facile, mais ils étaient convaincus qu'une bonne planification et des actions déterminées pouvaient conduire au succès. Ils admettaient également que la construction du navire constituerait l'étape la plus facile du projet. La question de son exploitation posait un problème beaucoup plus épineux, compte tenu du fait qu'elle devait assurer la rentabilité du navire. On réalisa dès le départ qu'il s'agissait du principal problème. À moins d'apporter une réponse convaincante à cette question – une garantie raisonnable que le navire ne deviendrait pas un éléphant blanc –, il valait mieux laisser mourir le projet dans l'œuf.

Il n'y avait qu'une seule voie à suivre. Lors d'une rencontre publique convoquée par le maire et à laquelle participèrent quelque 300 citoyens, on décida de procéder à une évaluation rigoureuse du projet. Des comités et des sous-comités furent formés pour étudier les coûts de la construction, l'organisation d'une levée de fonds, les frais de fonctionnement et d'entretien du navire, ainsi que son exploitation et sa capacité à générer des revenus. Et cela n'était que quelques-uns des sujets nécessitant une étude approfondie.

Lors d'une seconde assemblée générale tenue un mois plus tard, les rapports faits par la plupart des comités furent favorables. À un certain moment, le projet fut à un cheveu de prendre son envol, mais il se trouva dans une impasse lorsque le capitaine Walters jugea soudainement qu'il faudrait recueillir beaucoup trop d'argent – même s'il devait plus tard changer d'avis et reconnaître que le comité des finances s'était montré réaliste en prévoyant que 300 000 $ seraient suffisants pour faire face à tous les imprévus. Le désaccord eut, bien sûr, pour effet de refroidir l'enthousiasme et le projet s'arrêta.

Comme la proposition languissait, même les plus zélés de ses défenseurs doutaient que le navire pourrait voir le jour. Plus ils réfléchissaient, plus ils hésitaient à se compromettre ou à compromettre la ville dans une aventure peuplée de risques inconnus.

Le capitaine Angus avait alors changé d'avis et il tentait de remettre la machine en marche. Hélas! le dommage était fait. Même s'il était appuyé par un petit groupe de loyaux partisans, il ne réussit pas à soulever l'enthousiasme une seconde fois. Finalement, le groupe fit appel à une firme spécialisée pour qu'elle mène un sondage et qu'elle évalue la possibilité de financer la construction d'une réplique du *Bluenose* au moyen d'une souscription publique ainsi que la possibilité d'en assurer l'exploitation de manière rentable. Les perspectives furent très sombres.

C'était clairement la fin du projet, à moins que l'on ne concrétise un dernier espoir... celui de trouver des intérêts commerciaux qui accepteraient d'en assumer tous les coûts. Ce n'était toutefois qu'un espoir. De toute évidence, il fallait qu'un tel commanditaire ait non seulement les moyens, mais aussi la volonté d'exploiter le futur navire dans l'intérêt public tout autant que personnel. Ceux qui étaient au courant du projet des entreprises Oland de construire une goélette se souvenaient que Victor Oland avait déjà manifesté un véritable intérêt à l'endroit d'une suggestion du capitaine Walters.

Ils décidèrent que le moment était venu d'entreprendre de nouvelles démarches auprès de la fabrique de bière. Ils n'auraient pu choisir un meilleur moment.

En fait, la compagnie était sur le point de relancer son projet au moment même où la proposition de reconstruire le *Bluenose* avait fait surface à Lunenburg. L'entreprise avait même conclu un accord avec le concepteur W. J. Roue pour acquérir les plans originaux du *Bluenose*, dont Roue avait renouvelé les droits peu de temps auparavant. Ayant eu connaissance du projet à l'étude à Lunenburg, la compagnie Oland mit un frein à ses démarches pour attendre les résultats. Les administrateurs de la compagnie étaient emballés par le projet de la communauté et ils estimaient que ce dernier méritait un appui. Non seulement étaient-ils prêts à lui apporter une contribution substantielle, ils avaient aussi le sentiment qu'en construisant pour leur compte une goélette semblable au *Bluenose*, ils dépouilleraient le projet communautaire de son attrait et de sa nouveauté.

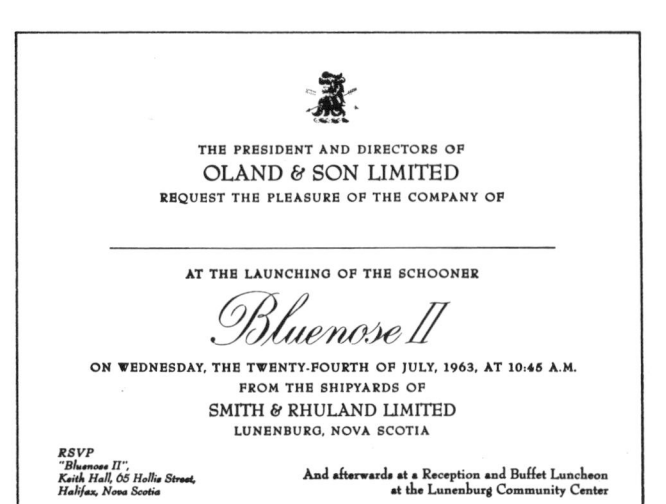

Même si leur volonté de construire s'était considérablement raffermie depuis ses premiers jours, ils continuèrent d'attendre – non seulement que le projet fasse son chemin à Lunenburg, mais aussi que le rêve du capitaine Walters ait épuisé toute chance de se réaliser par lui-même. Une telle attente n'était pas chose facile. Les succès commerciaux de la compagnie Oland reposaient sur un excellent sens des affaires et ses administrateurs savaient reconnaître une occasion publicitaire exceptionnelle lorsqu'elle se présentait.

C'est pourquoi, lorsqu'un tiers leur proposa d'organiser une rencontre avec le comité du capitaine Walters, ils ne se firent pas prier. Il n'avait pas été nécessaire de leur vendre l'idée. On réalisa très rapidement qu'une commandite de la compagnie Oland était la solution qui présentait le plus d'avantages pour toutes les parties.

La brasserie disposerait d'un véhicule promotionnel aux capacités impressionnantes, à la mesure de l'investissement requis. En même temps, les sévères règlements de la Nouvelle-Écosse sur la publicité de l'alcool empêcheraient la compagnie d'exploiter indûment le navire, comme auraient pu le faire d'autres entreprises. Pour sa part, la compagnie escomptait que les effets néfastes de la réglementation sur la publicité seraient atténués par l'amélioration de son image de marque, puisque le navire serait appelé à devenir une attraction touristique majeure dans les Maritimes.

Pour la ville de Lunenburg, la solution permettait d'obtenir tous les bienfaits de la reconstruction de sa célèbre goélette, sans en subir les possibles inconvénients. Les risques que le navire devienne un jour une charge pour la municipalité disparaissaient complètement, sans toutefois que ses retombées potentielles sur la communauté en soient le moindrement atténuées. Après tout, on avait déjà réalisé que, si le navire pouvait toujours être construit grâce à une souscription publique, il faudrait nécessairement l'exploiter ensuite de manière à en tirer le maximum de revenus. Et cela signifiait que, plus souvent qu'autrement, le navire devrait se trouver ailleurs que dans le port de Lunenburg.

Il est vrai que la compagnie Oland aurait le contrôle du programme et de la disponibilité du navire, mais elle en assumerait aussi les coûts! Bien plus, le brasseur offrait des garanties fort intéressantes. Victor Oland en avait fait un engagement lorsqu'il s'était rendu à Lunenburg pour s'adresser à la Chambre de commerce locale. D'entrée de jeu, il affirma

que sa compagnie serait honorée d'avoir le privilège de participer à la reconstruction du *Bluenose*. Dans le même souffle, il déclara qu'il était impensable d'aller en appel d'offres pour un tel travail... Le navire ne pouvait être construit ailleurs que dans le chantier qui avait fait naître son célèbre prédécesseur – toute idée contraire serait une véritable absurdité.

Comme le premier, le nouveau *Bluenose* serait enregistré à Lunenburg et y serait entretenu et regréé lorsque cela serait nécessaire. Ses propriétaires feraient en outre tout leur possible pour que le voilier soit à son port d'attache aussi souvent que le permettraient les contraintes de rentabilité – même les constructeurs lunenbourgeois n'auraient pu faire mieux.

De plus, Victor Oland fit la promesse que le *Bluenose* serait présent chaque année, à l'occasion de l'Exposition de pêche de Nouvelle-Écosse. Pendant toute la semaine que durait cette activité annuelle, le navire serait à l'entière disposition des organisateurs, qui pourraient l'utiliser comme bon leur semblerait, les revenus de son exploitation durant cette période étant versés au budget de l'exposition.

Pour ce qui concernait l'exploitation régulière du navire, Oland affirma qu'il serait utilisé et manœuvré en tout temps d'une manière conforme à la classe et à la dignité de son célèbre prédécesseur. Il ajouta qu'à son avis le navire ne devrait participer à aucune compétition. En tant que souvenir de la grande goélette qui avait établi de tels records, il ne pouvait se permettre de ternir la réputation du champion invaincu. Enfin, en réponse aux rumeurs affirmant que le nouveau navire servirait au transport de la bière, Victor Oland indiqua qu'on pouvait difficilement imaginer une façon plus coûteuse de transporter les produits de sa compagnie.

Au cours du repas qui suivit, on entendit plusieurs Lunenbourgeois déclarer: «Qu'est-ce qu'on peut être chanceux!»

Avant que la construction puisse commencer, une dernière question devait être réglée. Le capitaine Lawrence Allen, qui avait été l'équipier d'Angus Walters sur le premier *Bluenose*, avait acquis les droits sur le nom *Bluenose II* afin d'en baptiser un modèle réduit qu'il fabriquait dans son atelier. Il écrivit aux administrateurs de la compagnie Oland qu'il leur céderait le nom, le jour où serait mise en place la quille de la réplique grandeur nature du voilier qu'il avait connu et tant aimé. Il utiliserait un autre nom pour son petit *Bluenose*. Et voilà! Le projet démarrait pour de bon.

Le lancement d'un bateau en bois est un spectacle qui enchante les yeux et accélère les battements du cœur. Il en va de même pour sa construction! L'habileté à façonner différents types de bois, l'usage adroit d'outils aujourd'hui pratiquement oubliés, la compétence d'hommes formés par leurs pères et par des années de construction navale – tout cela peut séduire même celui qui manie un coupe-papier avec crainte.

Le *Bluenose II*, comme tout autre navire en bois ou en acier, a commencé à prendre forme avec la pose de sa quille sur une cale, le 27 février 1963. Si vous aviez fait partie du petit groupe d'invités à cette occasion, vous auriez pénétré dans le grand hangar de Smith & Rhuland en espérant un moment d'émotion. Vous n'auriez pas été déçu. La longue quille reposait au centre de la cale, s'étendant de l'avant du bâtiment du côté de l'eau jusqu'aux grandes portes qui s'ouvriraient, quelque cinq mois plus tard, pour laisser voir la proue d'une coque terminée. En observant la silhouette de la quille de 50 pieds de longueur, votre regard se serait élevé pour suivre la ligne de l'étrave. Toute la quille avait été peinte par les ouvriers d'une couleur rouge orangé qui la faisait ressembler à une grande pièce en fonte; d'après sa taille, vous auriez estimé qu'elle devait être aussi lourde que si elle était vraiment en métal. Mais surtout, ses lignes dépouillées et élancées vous auraient laissé l'impression que, dès les premiers moments, la naissance du navire était marquée par la grâce et par la vitesse.

Une magnifique photo du Bluenose II...
De faibles vents lui permettent d'essayer ses voiles, de vérifier ses gréements et d'évaluer ses réactions aux mouvements de la barre, tandis que son capitaine, Ellsworth Coggins, l'un des plus illustres et des plus habiles capitaines de goélette, lui permet d'imiter son illustre prédécesseur entre les mains d'un marin aguerri.

À mi-longueur de la quille, un clou en or se dressait dans l'attente d'y être enfoncé – comme un autre avant lui, 42 ans auparavant. En y songeant, vous n'auriez pu vous empêcher de sourire en vous remémorant un noble personnage et sa maladresse. Vous auriez eu le sentiment que les choses iraient mieux cette fois-ci.

Les courtes allocutions de circonstance furent rapidement expédiées. Le colonel Sidney Oland, président du conseil de la compagnie Oland, se tenait prêt, un maillet enrubanné à la main, à répéter (mais seulement en partie) le geste qu'avait commis son illustre prédécesseur, le duc du Devonshire, sur la quille du *Bluenose* en 1921. Le colonel prit bien son temps. Après quelques petits coups sur le clou, il remit le maillet à Bill Roue, qui en donna à son tour quelques-uns. Puis, le colonel présenta l'outil à Angus Walters en lui disant tout en s'inclinant: «Voici, Angus. Je crois que tu es celui qui doit faire ce travail!»

Octogénaire encore vert, Angus n'était pas homme à faire les choses à moitié. Étonné et ravi par le geste du colonel, il prit quelques instants pour savourer le moment. Plissant un œil, il aligna le maillet au-dessus du clou; puis, le soulevant très haut, il en assena un solide coup directement sur la cible! Si le moment revêtait une grande splendeur pour le vieil homme, il eut aussi pour effet de serrer la gorge de tous ceux qui ressentaient son émotion. Le clou s'enfonça dans le bois sous un concert d'acclamations. La construction du *Bluenose II* était bel et bien commencée.

Tout comme 40 ans auparavant, les hommes se mirent joyeusement au travail. À peine un ou deux d'entre eux avaient travaillé au premier *Bluenose* et assurément dans des conditions bien différentes. Le nouveau navire allait être construit dans un hangar et non à l'extérieur comme son prédécesseur – ce devait être le meilleur moyen d'accélérer le travail, à l'abri des caprices du temps. À long terme, le moyen ne se révéla peut-être pas si efficace: dans un espace aussi restreint, les ouvriers étaient continuellement interrompus par les questions des nombreux visiteurs qui pénétraient chaque jour par la porte du hangar.

Malgré tout, vous y étiez accueilli avec courtoisie et on vous permettait d'aller et venir en autant que vous acceptiez – comme c'est le cas sur tout chantier de construction – de le faire à vos risques. Vous pouviez observer avec fascination les différentes étapes de la construction et le spectacle était si captivant que vous aviez du mal à laisser votre place à d'autres.

Ce sont les membrures, ou les varangues, qui donnent sa forme à la coque d'un navire. Celles qu'on fabriquait pour le *Bluenose II* étaient massives. Chaque varangue était faite de deux pièces de bois jumelles, mesurant chacune huit pouces d'épaisseur, pour un total de seize pouces de chêne très dur dans les sections inférieures et de bouleau dans les sections supérieures. Découpées à la scie en suivant des patrons calqués de la table à dessin, elles témoignaient de l'ingéniosité déployée pour transformer de grosses pièces de bois naturellement incurvées au moyen des gigantesques scies à rubans du chantier naval.

En observant la première de ces varangues calée à sa place dans une section du milieu du navire, votre crédulité était mise à rude épreuve. Comment une coque formée de 63 paires de ces énormes membrures, sans compter les planches et le poids d'une centaine d'autres pièces, ne coule-t-elle pas à pic? Bien plus, comment fait-elle pour flotter avec une pareille grâce une fois dans l'eau? Mais telles sont les propriétés du bois et les connaissances de l'architecture navale que non seulement le navire pourra flotter, mais que ses concepteurs peuvent calculer d'avance avec précision jusqu'à quelle profondeur il s'enfoncera dans l'eau.

Graduellement, en quelques semaines, les 63 varangues furent mises en place, formant comme une gigantesque cage thoracique de part et d'autre de la quille. Tour à tour, chacune était maintenue en place par des étais, correctement alignée par rapport à ses voisines, bien couverte de lattes et assemblée. La méthode d'assemblage des varangues à la quille offrait au spectateur un nouveau spectacle étonnant.

Une fois les varangues correctement écartées – de 21 pouces centre à centre –, une carlingue, lourde poutre en épinette courant parallèlement à la quille, était déposée sur leur base. La première carlingue était ensuite flanquée par deux autres carlingues sur chacun des deux côtés. Toutes ces pièces de bois étaient taillées dans de l'épinette, une essence dont les longues fibres facilitent le pliage. À cause de cette propriété, elles pouvaient être déformées plus facilement de manière à épouser parfaitement la courbure du sommet de la quille sur toute sa longueur.

Rien n'est plus élémentaire que la méthode d'assemblage des varangues à la quille en utilisant les carlingues comme serre-joints, mais la taille des pièces rendait le processus spectaculaire. Des trous étaient d'abord percés à travers les carlingues, puis à travers les varangues et, enfin, à travers la quille elle-même. Ensuite, des boulons géants pouvant atteindre jusqu'à six pieds de longueur étaient enfon-

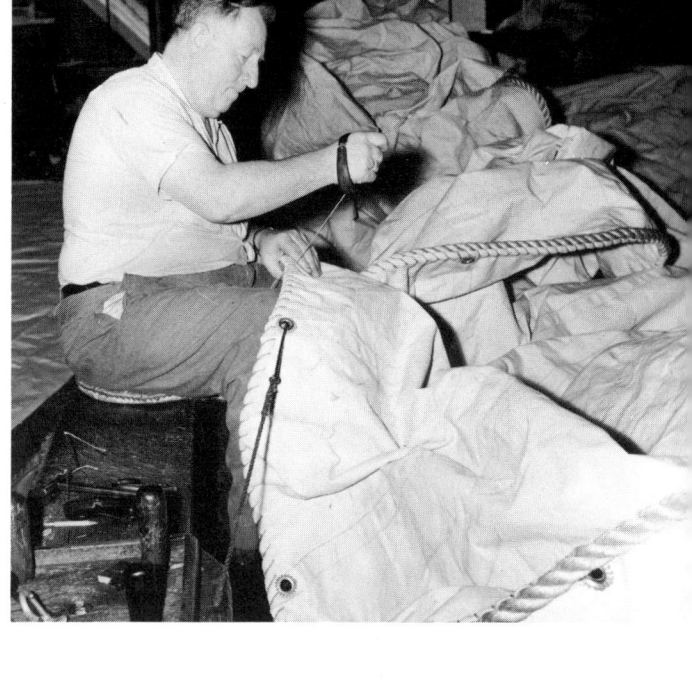

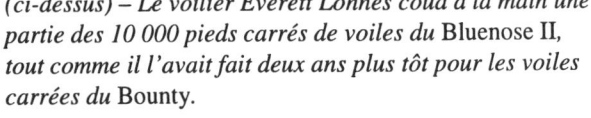

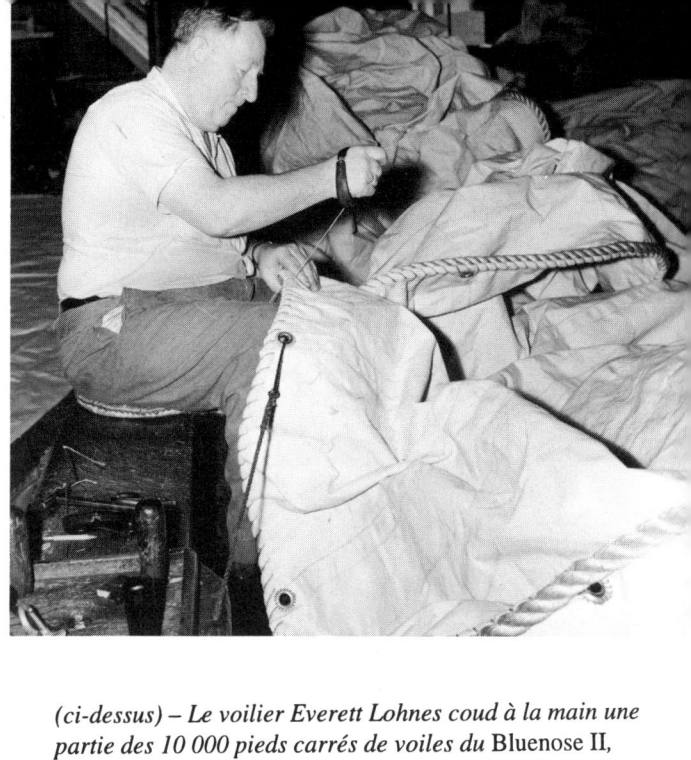

(ci-dessus) – Le voilier Everett Lohnes coud à la main une partie des 10 000 pieds carrés de voiles du Bluenose II, tout comme il l'avait fait deux ans plus tôt pour les voiles carrées du Bounty.

(à gauche) – Les frères Fred et John Rhuland, constructeurs du Bluenose II. Richard Smith et leur père, George Rhuland, avaient construit l'original.

(ci-dessous, à gauche) – Entre les mains d'un ouvrier du chantier, un outil d'autrefois, le marteau de calfat, enfonce l'étoupe entre les épaisses planches du pont.

(ci-dessous, à droite) – Un ouvrier manie l'herminette, un outil des constructeurs navals d'autrefois qui requiert un œil aguerri et une main experte.

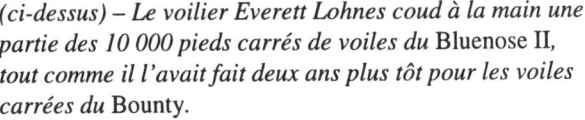

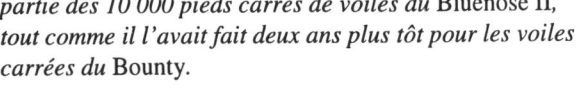

cés jusqu'à ce que leur extrémité ressorte sous la surface inférieure de la quille. On y vissait alors de lourds écrous. À mesure que les boulons étaient serrés, les carlingues se pliaient pour épouser la forme de la quille, emprisonnant ainsi les varangues comme dans un étau.

Même si des moteurs entraînaient les énormes mèches utilisées pour percer de longs trous à travers une épaisseur de quelque six pieds pour la construction du *Bluenose II*, le travail ne se faisait pas facilement ni rapidement. On ne pouvait alors que s'émerveiller devant la force qu'il fallait autrefois pour faire le même travail, à une époque où la perceuse motorisée n'était encore qu'un rêve.

Et si vous doutiez que la simple force musculaire puisse s'acquitter d'un tel travail, il vous suffisait de regarder les alignements des grandes tarières suspendues aux murs du hangar de Smith & Rhuland. D'une longueur variant entre deux et six pieds, elles témoignaient encore que le travail pouvait être fait à la main – et il l'avait été, puisque des centaines de navires étaient sortis de ce chantier. La réalité étant incontour-

nable, vous vous tourniez alors vers une autre énigme. Comment était-il possible de maintenir continuellement la mèche dans l'angle approprié? Et puis, vous vous souveniez... C'est l'habileté des mains et des yeux qui fait le maître constructeur naval.

Une fois le squelette du *Bluenose II* bien assemblé, on s'attaquait au bordé. Du bouleau et du chêne étaient utilisés pour les parties de la coque situées sous la ligne de flottaison, et du sapin de Douglas pour les cinq rangs supérieurs du franc-bord. Toutes les planches étaient assemblées de la seule manière considérée par les constructeurs navals comme une garantie de solidité. Plutôt que des clous métalliques qui ont tendance à se relâcher sous l'effort, ils utilisaient des chevilles en bois cylindriques et à têtes carrées. Enduites de colle, elles étaient enfoncées fermement dans des trous pratiqués à travers les pièces qu'elles devaient marier dans une union qui n'autoriserait aucun divorce. Une fois la cheville bien enfoncée, la partie qui dépassait de la surface était coupée. On fendait ensuite les deux extrémités de la cheville pour y

Des herminettes droites et incurvées, maniées par des artisans expérimentés, équarrissent une longue pièce massive de pin de la Colombie-Britannique, dans une première étape pour former les espars du Bluenose II.

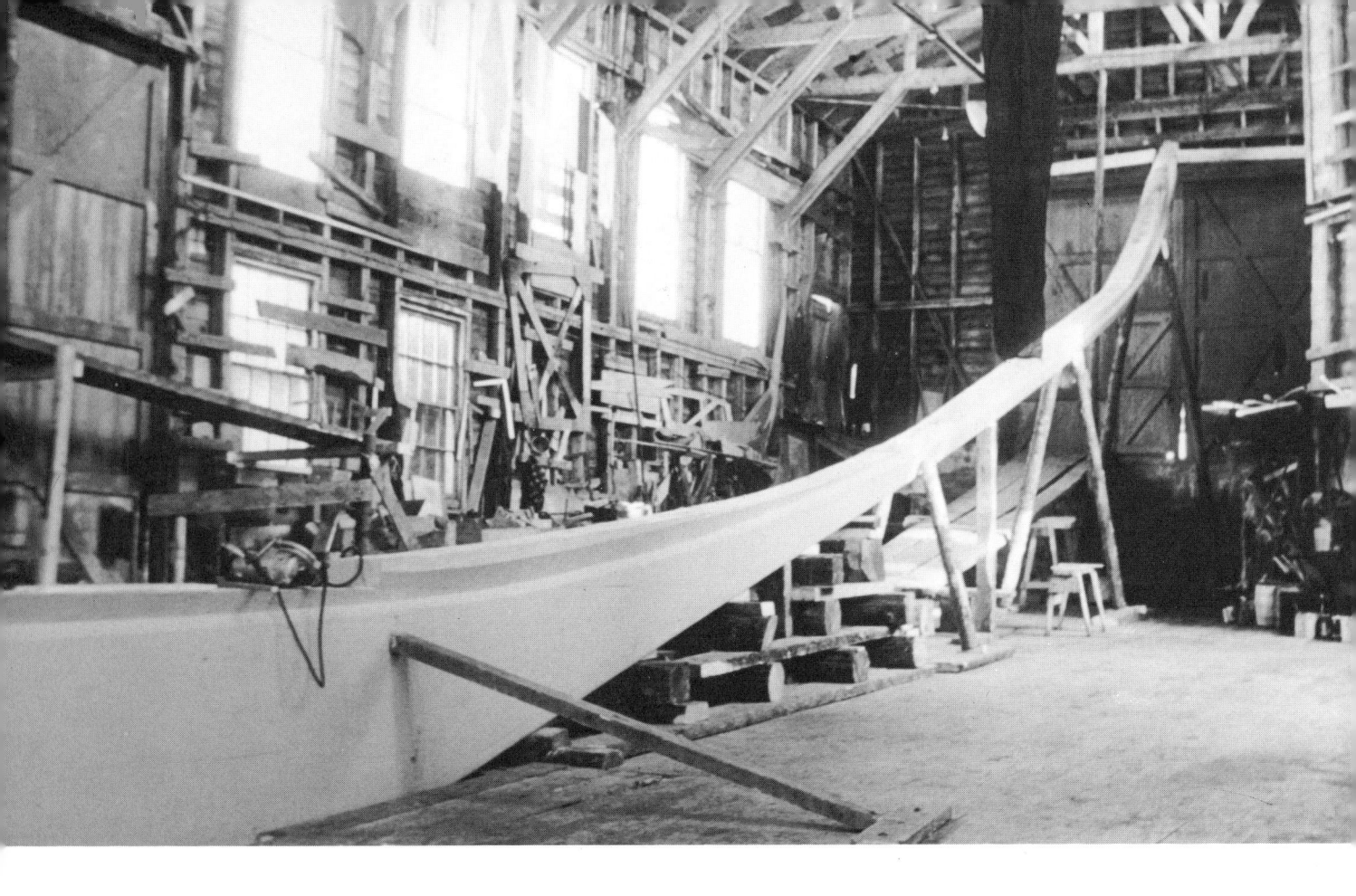

La quille du Bluenose II *attend au beau milieu du plancher du grand hangar que commencent les cérémonies officielles auxquelles participeront les autorités de la ville de Lunenburg ainsi que certaines personnes ayant eu une relation avec le prédécesseur du navire et ayant souhaité sa renaissance.*

enfoncer un coin en chêne. Un tel assemblage pouvait résister à pratiquement n'importe quel effort. Plus de 17 000 chevilles en bois ont été utilisées pour la construction du *Bluenose II.*

Pendant qu'on couvrait de planches l'extérieur de la coque, une autre équipe entreprenait d'assembler des vaigres sur sa face intérieure. Le navire était ainsi doté d'un double revêtement: les planches intérieures en épinette s'assemblant au bordé extérieur pour joindre ensemble la quille, les carlingues, les varangues, l'étrave et l'étambot, formant ainsi une sorte de coquille très solide et très rigide.

À l'intérieur de cette enveloppe de bois, de robustes poutrelles en épinette étaient assemblées aux membrures, aux serres et aux épontilles pour former une grille serrée. Sur ces poutrelles, les charpentiers mirent en place un pont formé de solides planches de pin clair. Vint ensuite le tour des ouvriers chargés du calfatage. Ayant terminé leur travail sur les côtés du navire, maniant leurs étranges marteaux de calfat, ils martelaient maintenant en cadence sur de larges ciseaux pour enfoncer l'étoupe entre les planches du pont. À l'époque du premier *Bluenose*, on couvrait toujours l'étoupe de goudron afin de combler les joints jusqu'à la surface du pont. C'était très bien aussi longtemps que le navire ne se rendait pas sous les tropiques, où la chaleur du soleil faisait bouillonner la masse gluante, exigeant ainsi une continuelle attention.

Cela ne pouvait convenir à ce navire, qui passerait sans doute ses hivers dans les Antilles. Il fallait utiliser quelque chose de mieux; en fait, une matière plastique combinée à une colle spéciale. Ce produit, qui ne durcit pas complètement, permet aux planches du pont de se gonfler et de se rétracter, sans toutefois être affecté par les chauds rayons du soleil.

Une fois le pont complété, on pouvait voir des ouvertures de tailles diverses qui y avaient été laissées ou découpées pour recevoir le bâti de la cabine, les espars ou les mâts, tous étant – à l'exception des deux derniers – fabriqués en acajou et assemblés soigneusement par les artisans de Lunenburg d'une manière habituellement réservée à l'ébénisterie.

Mais c'est en observant la fabrication des lisses à

On voit apparaître la longue coque dépouillée du Bluenose II *alors qu'il glisse dans les eaux du port de Lunenburg.*

partir de chêne et de bouleau très dur qu'on pouvait le mieux apprécier l'habileté des maîtres artisans et la fierté qu'ils mettaient dans un travail bien fait. Façonnées dans des pièces brutes et polies jusqu'à ce qu'elles présentent le fini d'un dessus de table, ces pièces en bois franc suivaient la ligne des plats-bords avec la même souplesse que des traces de skis dans la neige fraîche. On aurait dit qu'elles avaient été coulées en place et non pas sculptées dans des pièces de bois brut. Il fallait y regarder de très près pour discerner l'endroit où une pièce se terminait et donnait imperceptiblement naissance à la suivante.

La construction de la coque étant complétée, on commença à poncer chaque centimètre de sa surface et de celle du pont, y consacrant autant d'heures que nécessaire pour atteindre la perfection requise avant de procéder à l'application de la première couche de peinture d'apprêt. Celle-ci appliquée, on ponça de nouveau avec autant d'énergie que si le premier ponçage n'avait rien donné. Sur le long du franc-bord commençait alors à apparaître un fini brillant comme

de l'émail de couleur bleu nuit. Le fini descendait sur les côtés du navire, à partir de la lisse jusqu'à une ligne blanche qui séparait la partie supérieure de la coque, de teinte foncée, et sa partie inférieure, de couleur rouille. La réplique arborait ainsi les mêmes couleurs familières que son prédécesseur.

Après qu'on eut apporté la touche finale en appliquant les illustres lettres de son nom de part et d'autre de la proue et en peignant le nom *Bluenose II* sur son tableau arrière, il put glisser hors du hangar le jour du lancement, portrait tout craché de son illustre prédécesseur sous tous les aspects sauf un: il ne portait pas de beaupré.

À un certain moment, ses constructeurs avaient envisagé de percer une ouverture sur l'avant du hangar pour permettre l'installation du beaupré. Ils se ravisèrent rapidement – et pour une excellente raison. Au moment du lancement, le beaupré aurait sans doute été arraché comme une allumette par les chevrons du bâtiment. Comme on allait plus tard le constater, même sans beaupré, la proue avait pratiquement caressé les robustes poutres des combles tandis que la poupe plongeait profondément dans les eaux du port. L'absence du beaupré suscita quand même une légère déception chez plusieurs Lunenbourgeois qui avaient souhaité voir glisser hors du hangar une réplique parfaitement exacte de l'ancien navire.

S'étant détaché des étais temporaires qui s'agrippaient à ses côtés comme l'arrière-faix d'un accouchement nautique, le magnifique nouveau-né commença à flotter calmement au milieu du port et fut remorqué jusqu'au quai où l'on devait compléter les travaux sous le pont et la mise en place des gréements.

En tant que réplique souvenir, le *Bluenose II* se devait d'être, à tout le moins extérieurement, aussi identique que possible à son prédécesseur. Toutefois, une telle reproduction ne pouvait s'appliquer qu'à la coque et aux gréements. Pour pouvoir trans-porter des passagers en cette époque moderne, il devait se plier à un certain nombre d'exigences qui rendraient ses entrailles aussi dissemblables de celles du vieux navire qu'il est possible d'imaginer.

Aucun des membres de l'équipage du *Bluenose* original, qui étaient habitués à des cloisons rugueu-ses et à des quartiers rustiques, n'aurait pu trouver la plus petite similitude dans ces aspects de la réplique. Premièrement, les règlements maritimes exigeaient que le *Bluenose II* se conforme à diverses normes inexistantes à l'époque de son prédécesseur. Mais en outre, les exigences du confort des passagers, ainsi que les splendides boiseries et le décor somp-tueux, auraient tout de suite convaincu un vieux pêcheur qu'il s'était égaré à bord du yacht d'un millionnaire yankee.

L'intérieur du premier *Bluenose* était essentiel-lement composé d'une cabine, d'une cale et d'un carré. Dans sa réplique moderne, on pouvait admirer

Accueilli par les acclamations de la foule et les sirènes des bateaux, le Bluenose II *tourne sa proue vers l'entrée du port et la haute mer.*

le décor et le fini d'un luxueux bateau de croisière.

Commençant à quelques pieds de la lisse arrière, une large structure recouvre les emménagements intérieurs comprenant la cabine du capitaine et la cabine de navigation, ainsi que cinq autres cabines privées. De finition très soignée, ces pièces sont lambrissées de noyer foncé et équipées des appareils de plomberie nautique les plus modernes. À l'avant de cette section se trouve la salle des machines, suivie d'un petit espace de rangement pour les voiles, les accessoires et les pièces de rechange. Vient ensuite un salon de bonne dimension, qui offre aux passagers suffisamment d'espace pour se détendre et s'amuser à l'abri des intempéries.

À l'avant du salon se trouve la cuisine du navire, complètement équipée des appareils et accessoires les plus modernes pour faciliter la préparation de repas chauds. Entre la cuisine et le salon, un comptoir permet de servir plus rapidement la nourriture. Le carré, ou les quartiers de l'équipage, qui occupe l'avant du navire, comprend des chambres privées pour le second et l'ingénieur de bord.

Tous ces travaux intérieurs ont été faits alors que le *Bluenose II* était amarré au quai du chantier naval, et cette étape de la construction fut la seule à laquelle les visiteurs n'étaient pas conviés. L'espace était beaucoup trop restreint pour le permettre; même les rares visiteurs occasionnels admis sous le pont gênaient sensiblement le travail des artisans qui s'activaient à terminer le navire aussitôt que possible pour ses essais en mer.

Si le luxe de l'aménagement intérieur de la nouvelle goélette aurait étonné un pêcheur d'antan, ses équipements de bord et ses appareils électroniques d'aide à la navigation l'auraient laissé pantelant d'incrédulité! On peut très bien imaginer la réaction d'un marin d'autrefois devant une goélette équipée d'un système de chauffage et de climatisation la rendant insensible aux caprices de la température... On peut imaginer son émerveillement devant le miracle du radio-téléphone, devant les prodiges du compas électronique, du profondimètre, du système de radar Decca et du navigateur Loran. Tous ces appareils auraient pu remplacer les navigateurs de jadis, à qui la légende attribuait un «nez» capable d'établir la position du navire et le sortir d'un banc de brouillard, ou encore des cors et des oignons leur permettant de prévoir l'arrivée d'un coup de vent.

Le marin d'il y a 40 ans n'aurait peut-être pas été aussi émerveillé par les deux moteurs de 170

Vue des flèches du grand mât du Bluenose II *montrant l'arrière du navire.*

Le Bluenose II, *avec son beaupré et ses mâts, est remorqué vers le bassin d'armement.*

Vue du mât de misaine montrant la proue et le toit du carré.

Ses mâts de flèche, ses bômes et ses étais maintenant installés, le Bluenose II *attend le reste de ses gréements.*

chevaux du *Bluenose II*, pas plus que par ses génératrices. Par contre, il aurait sans doute apprécié très ouvertement ses puissantes pompes, les considérant comme une amélioration longtemps attendue. Sans doute aurait-il été beaucoup moins tiède devant ses hélices à géométrie variable et leurs arbres de transmission en acier inoxydable, puisque le marin des années 20 s'y connaissait en mécanique et était sensible aux façons d'améliorer la puissance et la facilité d'entretien. Ce qui est absolument certain, c'est qu'il aurait franchement rigolé devant le système d'intercommunication du navire en songeant à son ancien capitaine qui ne pouvait compter que sur la puissance de sa voix pour hurler: «Grouillez-vous et hissez la voile d'étai!»

Ayant considéré tout cela, le revenant d'un pêcheur de l'époque glorieuse du premier *Bluenose* confronté aux «fantaisies» de sa réplique aurait quand même été captivé en observant la pratique d'un art aujourd'hui presque disparu. Pour dire vrai, il est étonnant qu'on ait pu trouver suffisamment d'artisans maîtrisant les techniques d'autrefois pour recréer de façon fidèle un navire de jadis en employant, pour la majeure partie de la construction, exactement les mêmes méthodes que celles en cours dans les années 20.

Il fut un temps où la herminette, la plane et la vastringue étaient des outils courants qu'on trouvait dans le coffre de tout charpentier naval. Aujourd'hui, comme plusieurs autres outils, ils sont devenus des reliques d'un art en voie de disparition. En voyant ces instruments bizarres, on se demande comment des outils aussi rudimentaires pouvaient donner à une pièce de bois dur la forme et le profil souhaités! Il faut les voir à l'œuvre! Entre les mains d'un maître charpentier de Lunenburg, la herminette – sans doute l'outil le plus disgracieux – devient aussi noble qu'un ciseau de sculpteur.

Le dictionnaire décrit la vastringue comme un outil employé à l'origine pour façonner les rayons des roues, mais utilisé en général pour tailler dans le bois des formes arrondies. Il peut être considéré comme un outil «logique» lorsqu'on constate qu'il donne les résultats escomptés. On ne peut en dire autant de la herminette, qui est même difficile à décrire. On dirait un croisement entre une pioche et une houe de jardinier. Sa tête, qui est fixée à angle droit au bout d'un manche en forme de serpent, est formée d'une large lame légèrement incurvée comportant une arête tranchante longue d'environ cinq pouces et affûtée comme un rasoir. Étant une sorte de hache, on pourrait croire que cet outil donne des résultats plutôt grossiers.

Essentiellement, le travail des spécialistes de la herminette équivaut à grande échelle à tailler un bout de bois avec un canif, mais avec une finesse et une précision qui feraient l'envie des miniaturistes. Toutes les pièces de charpente de la grande coque et des orgueilleux espars du *Bluenose II* ont dû subir leurs assauts et se soumettre aux volontés de leurs lames. À aucun moment au cours de la construction du navire, leur habileté ne fut-elle plus clairement démontrée que lorsque vint le temps de façonner ses grands espars.

«Tailler les bâtons», dit-on en langage marin; et il s'agissait sans doute du spectacle le plus captivant! La transformation d'une énorme pièce de bois d'œuvre mesurant deux pieds de côté à sa base en un mât de 90 pieds de longueur parfaitement effilé vers le haut est un travail qu'il faut voir pour le croire. Sinon, la seule explication plausible à une telle perfection serait d'imaginer qu'un tronc d'arbre a été façonné à l'aide d'un tour géant.

Étonnamment, même une énorme pièce de sapin Douglas, comme celle requise pour le grand mât d'une goélette de 143 pieds, peut se déformer sous son propre poids lorsqu'elle est étendue au sol sur des blocs posés à intervalles réguliers. Avant qu'on commence à la façonner, elle doit être en position parfaitement rectiligne. De puissants crics ont donc été placés à différents endroits, entre la pièce géante et une imposante pile de bois d'œuvre qui se transformerait plus tard en un deuxième mât, en des bômes et

(ci-dessous) – Escorté par une bruyante armada de bateaux de plaisance, le Bluenose II *traverse une ancienne ligne d'arrivée et pénètre dans le port de Halifax pour la première fois. Plus de 50 000 personnes sont massées sur la rive et sur la jetée pour saluer son arrivée.*

en des cornes. Posté à l'extrémité la plus large, le contremaître Johnny Rhuland se penchait pour aligner la pièce dans toute sa longueur, indiquant par des gestes ou par des paroles les endroits où il fallait faire des ajustements. Ici et là, les crics transmettaient ses ordres à la pièce de bois, qui cédait lentement en poussant des grognements de protestation jusqu'à ce qu'elle soit parfaitement droite.

Un dernier long regard satisfait de John Rhuland et: «Ça va, les gars, je crois que ça y est. Allons-y!»

Une demi-douzaine d'ouvriers se placèrent de part et d'autre de la pièce et les herminettes s'abattirent avec précision sur les marques faites à la craie bleue d'une extrémité à l'autre, arrachant des copeaux aux arêtes longitudinales du sommet du mât en devenir. Lorsqu'ils parvinrent à la base plus élargie, la pièce autrefois de section carrée comptait maintenant six côtés sur toute sa longueur. On la retourna ensuite avec efforts afin d'exposer vers le haut ses faces non encore façonnées et on répéta le même travail pour achever la transformation d'une pièce de section carrée en une pièce de section octogonale.

La base du mât fut laissée ainsi afin d'en assurer plus tard un assemblage plus solide à travers une ouverture de mêmes dimensions découpée dans le pont de la goélette. À quelque 10 pieds du sommet du mât, une surface plane d'environ 2 pieds fut laissée à l'avant et à l'arrière afin de recevoir les flèches. À l'exception de ces deux parties, tout le reste du mât devait encore subir d'autres travaux de façonnage. Petit à petit, sa section se transforma pour compter d'abord 12 côtés, puis 16, puis une multitude de côtés, s'approchant graduellement de sa section ronde finale.

Les planes et les rabots remplacèrent alors les herminettes, pour donner au mât un fini de satin. Une fois leur travail terminé, le grand mât était aussi rond que s'il avait été coulé dans un grand moule tubulaire. Ainsi s'écoulèrent presque trois semaines, tandis que le mât de misaine – le suivant sur la liste – prenait forme et, tour à tour, les mâts de flèche, les bômes, les cornes et le beaupré. Finalement, toutes les pièces en bois du gréement de la goélette reposaient assemblées à côté du navire.

On était alors en septembre et le magnifique spectacle de la mise en place des espars allait pouvoir être présenté pour la première fois depuis de nombreuses années à Lunenburg. Le grand mât et le mât de misaine furent soulevés, puis descendus dans les ouvertures pratiquées dans le pont à leur intention. Avant de les descendre, on déposa sous leur base des pièces de monnaie – une contribution traditionnelle aux vents de la fortune. On y trouvait des dollars en argent du Canada et des pièces de 10 cents – ces dernières à l'effigie du *Bluenose* –, des médailles commémoratives du lancement ainsi que de rares et vieilles pièces espagnoles qui revêtaient une signification spéciale à cause des origines hispaniques de la famille Oland.

Les deux mâts étant bien installés, vint le moment de les consolider avec des étais. Les ouvriers s'activèrent et bientôt apparurent les haubans et autres étais, tirant les espars dans la position souhaitée et les soutenant pour qu'ils puissent résister aux efforts à venir. Les écoutes et les autres gréements courants n'attendirent pas très longtemps l'arrivée des voiles. Celles-ci avaient été confectionnées pendant plusieurs semaines dans un atelier avoisinant, où le voilier Everett Lohnes s'était acquitté de son travail en coupant, piquant et cousant plus de 10 000 pieds carrés de lourde toile blanche afin de doter le navire de sa voilure complète.

Pendant quelques décennies, le port de la côte sud n'avait pas vu un travail de gréement d'une telle envergure – jusqu'à l'été de 1960, alors que les voiles carrées du *Bounty* avaient pris forme entre les mêmes mains expertes. Le travail sur le *Bluenose II* attirait l'attention et fascinait les foules qui venaient l'observer chaque jour. Tous les ouvriers avaient conscience de participer à une sorte de chant du cygne et donnaient leur maximum pour contribuer de leur mieux à la réalisation d'un chef-d'œuvre.

Leur habileté à reproduire un travail déjà accompli par d'autres mains allait être confirmée beaucoup plus tôt que prévu. Au cours de son premier voyage, au début du mois de janvier 1964, le *Bluenose II* se montra à la hauteur des légendaires qualités marines de son prédécesseur en se rendant aux Antilles via les Bermudes. À peine un jour après son départ de Lunenburg, avec à son bord un équipage relativement novice, il fut confronté à un ouragan dont les vents atteignaient 100 milles à l'heure! Angus Walters était à bord en qualité d'invité. Il s'y trouvait aussi d'autres connaisseurs: le commodore Ralph L. Hennessy, de la Marine canadienne, et Bruce Oland, commandant dans la Réserve navale du Canada et représentant de la famille propriétaire du navire. À leur arrivée aux Bermudes, l'équipage et les invités n'eurent que des éloges à l'endroit de la goélette et de son habileté à faire face aux fureurs dont la mer est capable lorsqu'elle se déchaîne.

Angus lui rendit un hommage particulièrement mémorable. «Pour être bien franc, dit-il, j'étais inquiet. Au cours de mes longues années en mer, je n'ai rencontré qu'une seule fois des conditions similaires – ou pires – que celles-là: c'était lorsque nous avons ramené le *Bluenose* de son séjour en Angleterre. Et ce navire a tenu tête. Je pense que nous n'avons même pas pris une goutte d'eau. C'est un très bon bateau – ça ne fait aucun doute!»

Ayant réussi à atteindre l'épicentre de l'ouragan, on prit habilement des ris à la misaine et le navire se laissa pousser doucement pendant 30 heures hors de la zone de turbulence. Quelques semaines plus tard, il allait répéter ses exploits en se sortant des griffes d'une tempête tropicale dans les Antilles. «Après cela, déclara son capitaine, Ellsworth Coggins, j'accepterais de le piloter n'importe où dans le monde et dans n'importe quelles conditions!»

Coggins savait de quoi il parlait, car l'homme choisi pour devenir le premier capitaine de la nouvelle goélette était un marin aguerri. Dès l'âge de 16 ans, Ellsworth Coggins avait quitté sa maison familiale de Weymouth en Nouvelle-Écosse pour commencer sa carrière de marin. Il n'avait que 19 ans lorsque la mort de son capitaine en mer le catapulta à son premier poste de commande, lui permettant d'achever le voyage et de ramener le navire à ses propriétaires. Ayant bien accompli sa tâche sur des bateaux à voile et à vapeur, il s'enrôla pendant la Seconde Guerre mondiale comme première classe dans la Réserve navale canadienne, la quittant à la fin de la guerre, en 1946, avec le grade de lieutenant. Y retournant en 1949 à titre de commandant en second, il obtint le commandement de dragueurs de mines. Il navigua ensuite le sloop de la Marine, l'*Oriole*, de Halifax jusqu'à Vancouver en passant par le canal de Panama.

Se retirant de la Marine pour de bon en 1959, on l'invita à quitter sa retraite deux ans plus tard pour accepter un commandement des plus prestigieux. La Metro Goldwyn Mayer souhaitait obtenir ses services en tant que capitaine du *Bounty*, la réplique du célèbre voilier du XVIIIe siècle commandé par le capitaine William Bligh. Ayant formé un nouvel équipage à la navigation avec des voiles carrées, Coggins conduisit le *Bounty* jusqu'à Tahiti, en empruntant à nouveau le canal de Panama, pour le tournage du film inspiré par l'œuvre de Nordhoff et Hall, *Mutiny on the Bounty*. Ayant ramené le navire de Tahiti à ses propriétaires à Los Angeles, il en

reprit le commandement six mois plus tard pour faire une tournée promotionnelle mondiale en faveur du film. À la date prévue, il ramena le navire à ses propriétaires, cette fois dans le port de New York, pour la première mondiale de la spectaculaire production cinématographique.

Un membre de l'équipage du *Bounty* avait dit, au sujet de son capitaine: «Le vieil homme est à la fois l'image et l'antithèse du capitaine Bligh. Bligh lui-même n'aurait pu mieux manœuvrer notre navire... cependant, même dans les pires conditions, je n'ai jamais entendu le vieil homme engueuler ses subalternes. Il connaissait le navire aussi bien qu'il nous connaissait, et nous aurions fait n'importe quoi pour lui.»

Le livre de bord du *Bounty* fait état de nombreuses tribulations en mer et au port; ces dernières illustrant les risques que court un navire d'exposition, particulièrement lorsqu'il est visité par plus d'un million d'admirateurs et (tout naturellement) de chasseurs de souvenirs. Le livre de bord ne fait toutefois aucune mention de dommages sérieux causés au navire par les hommes ou par les forces de la nature. Au terme de leur dernière tournée, la réplique du *Bounty* et son capitaine étaient devenus célèbres à travers le monde.

Il paraissait tout indiqué que le second *Bluenose* soit confié, tout comme le premier, à un capitaine de haute mer expérimenté. Tout autre choix aurait été indigne du destin qui avait permis à la vieille goélette de renaître sous les traits d'une réplique fidèle.

En 1921, le *Bluenose* avait coûté à ses propriétaires 35 000 $. La construction de sa réplique a nécessité un budget de plus d'un quart de million. Seul le temps permettra d'établir si un tel investissement était justifié.

À n'en pas douter, le *Bluenose II* part gagnant. La légende du *Bluenose* n'a pas de frontières et des gens de partout au monde voudront se déplacer pour mieux connaître le célèbre navire. Toutefois, même s'il œuvre dans le monde vénal du tourisme moderne, même s'il est utilisé comme véhicule promotionnel pour la Nouvelle-Écosse, sa dignité est telle que son image restera toujours hors d'atteinte. Il témoigne et continuera de témoigner d'une histoire d'amour à l'endroit d'un navire qui n'a aucun équivalent dans l'histoire maritime.

Ici commence, en 1963, un nouveau chapitre – un épilogue – de l'histoire d'une modeste goélette de pêche qui s'est enracinée assez profondément dans le cœur des gens pour les convaincre – un quart de siècle après sa disparition – de refuser cette épitaphe défaitiste: «Nous ne la reverrons plus jamais!»

Héritier méritant d'un commandement célèbre, le capitaine Ellsworth Coggins ordonne de hisser le foc et la misaine...

...tandis que la proue du nouveau Bluenose *se tourne lentement vers la mer.*

Avec quatre voiles inférieures et deux voiles de flèche, le Bluenose II *se berce sur la houle de l'Atlantique.*

Âgé de 81 ans, le capitaine Angus Walters, commandant du premier Bluenose, *regarde la mâture de sa réplique et vérifie son comportement.*

Une réminiscence de plusieurs épreuves d'autrefois: au plus fort de l'émotion, le vent tombe.

«Il se comporte bien... mais j'aimerais bien avoir un petit coup de vent!»

Le constructeur Fred Rhuland, l'auteur Phil Backman, ainsi que les capitaines Coggins et Walters apprécient très tôt les qualités du navire.

Le vent se lève, le navire gîte et prend un os entre les dents...

...tandis que les invités et les membres de l'équipage s'affairent aux drisses.

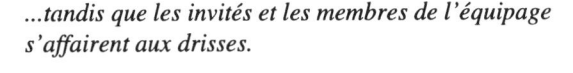

Impatient et confiant, le Bluenose II fonce avec la détermination de son prédécesseur.

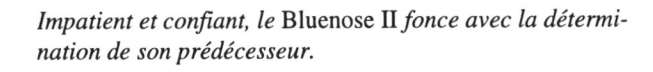

Le barreur de compétition, Jack Pardy, se joint au capitaine Angus à la barre.

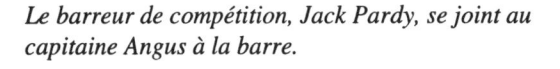

Dix-sept ans plus tard, le Bluenose vogue toujours.

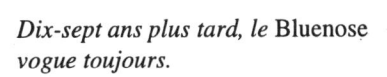

ÉPILOGUE

Par un jour du mois de novembre 1963, le vent soufflait doucement de l'est, accompagné par un crachin intermittent. Une armée de cameramen, de reporters et de loyaux fidèles à un ancien amour s'étaient dirigés vers Lunenburg. L'âme romantique, ils venaient partager un hommage étrange au souvenir... le début d'une renaissance extraordinaire et permanente. Sous un angle plus pratique, ils venaient assister et participer aux premiers essais en mer d'une nouvelle goélette fraîchement sortie des mains de ses constructeurs.

À son bord, les mains étaient moites, autant celles de l'équipage d'un célèbre navire d'autrefois que celles du nouvel équipage encore incomplet.

Mais aucun d'entre eux, qu'il se remémore d'anciennes aventures ou qu'il en anticipe de nouvelles, ne pouvait être envahi par une émotion égale à celle qui se lisait sur le visage du vieil homme à la barre... l'œil fixé sur la mâture et les mains agrippées aux poignées de la barre du *Bluenose II*. Dans son esprit, le passé revivait tandis qu'il «écoutait» le navire se pencher sous la légère poussée du vent, et son regard trahissait des pensées que les autres ne pouvaient qu'imaginer.

«Regardez Angus, chuchota Don Oland. Si vous avez envie de lui enlever la barre, je parie que vous devrez lui briser un bras!»

Je n'en doutais pas le moins du monde et je

n'avais aucune intention de le vérifier. Je me dirigeai vers l'arrière et me faufilai pour prendre place aux côtés du vieux barreur. Quarante années avaient ajouté quelque peu à son poids, mais il était toujours aussi alerte de corps et d'esprit. Malgré tout le temps passé, sa détermination était demeurée intacte; ses yeux étaient toujours prêts à s'enflammer à l'endroit de quiconque oserait prétendre que son grand *Bluenose* ne pouvait faire face à tout et en sortir vainqueur. Il manœuvrait doucement la barre, guidant avec habileté cette nouvelle image d'une ancienne flamme et j'avais du mal à trouver mes mots.

«Comment va-t-il, Angus?»

Le plus grand capitaine de régates hocha la tête lentement, trahissant ainsi beaucoup de son émotion.

«Il ira bien, répondit-il. Il est juste un peu lourd de l'avant... juste un peu, et il y a peut-être un rien de mou dans la barre; mais ce n'est qu'une question d'ajustements et nous allons bientôt corriger cela. En tout et pour tout, il ira bien!»

Mais je me rappelais une autre journée et une autre réponse – une réponse plus courte, prononcée avec le charme inimitable du parler de Lunenburg: «C'est un très bon navire.»

MacAskill

Livre de bord
photographique d'une époque

    John Masefield écrivit un jour au célèbre photo-graphe marin pour lui demander une faveur. Les grandes goélettes de pêche, avec leurs voiles avant et arrière, allaient bientôt connaître le sort de leurs prédécesseurs à voiles carrées. L'artiste accepterait-il de fixer sur pellicule les détails des dernières goélettes afin que les modélistes de demain puissent les reproduire avec plus d'exactitude? Le grand poète britannique demandait à un passionné romantique d'apporter sa contribution à l'histoire maritime. MacAskill était le maître incontesté de son sujet, qui était aussi sa passion. Personne d'autre que lui ne pouvait immortaliser les merveilleux voiliers d'une manière aussi inoubliable.

Le Bluenose *gîte, serrant le vent de près et affrontant les vagues – avec une autre victoire dans son sillage.*

Quatre vues des gréements de pont du Bluenose
*(de haut en bas: le bâbord de la proue,
le milieu du navire, la barre et le tableau arrière).
Amarré au quai après un voyage de pêche sur le
Banc de Terre-Neuve, couvert de rouleaux de lignes à pêche,
équipé de ses doris et de l'attirail de pêche et chargé de barils,
le* Bluenose *cache bien la perfection des gréements
qui lui donnait son incroyable vitesse.
À noter, les trois chaînons entrelacés peints à l'arrière du navire,
symbole de l'International Order of Oddfellows et
signe distinctif des goélettes de Lunenburg.*

Sur sa cale à Lunenburg, le Bluenose exhibe sa silhouette élancée et dépouillée de champion.
Pendant sa construction, son franc-bord a été surélevé d'un pied et demi à l'avant pour assurer
un meilleur dégagement du carré. Selon plusieurs, cette modification a gâché sa ligne de proue,
mais cela n'a rien enlevé à ses qualités de coursier et a donné à la ligne de son étrave cet angle
curieux qui était l'une de ses principales caractéristiques.

Le Bluenose *toutes voiles dehors, voguant grand largue...*
L'une des photos du grand coursier que MacAskill préférait.

*Deux ouvriers s'affairent à installer un foc fraîchement sorti de l'atelier,
tandis que le* Bluenose *se prépare à affronter un nouveau rival.*

(ci-contre) - Le Bluenose, *voiles ouvertes,
disparaît derrière la houle.*

Jeu d'ombre et de lumière jetant une atmosphère de nostalgie sur les navires au mouillage dans le port de Halifax.

(ci-contre) «Vigie à tribord» L'une des études préférées de MacAskill.

Encalminées dans les reflets du soleil, les goélettes avancent à peine, tandis que leurs équipages implorent le vent afin de connaître une bonne régate.

Première épreuve de qualification au large de Halifax, en octobre 1921.

Serrant de près un fort vent, le Bluenose *devance le* Columbia *dans l'étape finale de l'épreuve.*

Immobilisés sur une mer calme, deux gladiateurs nautiques offrent un magnifique jeu d'ombre et de lumière.

Le port de Lunenburg vers 1920.

Première épreuve de qualification: l'Alcala *suit de près* l'Independence, *tandis que le* Canadia *et le* Bluenose *(en tête) sont loin devant.*

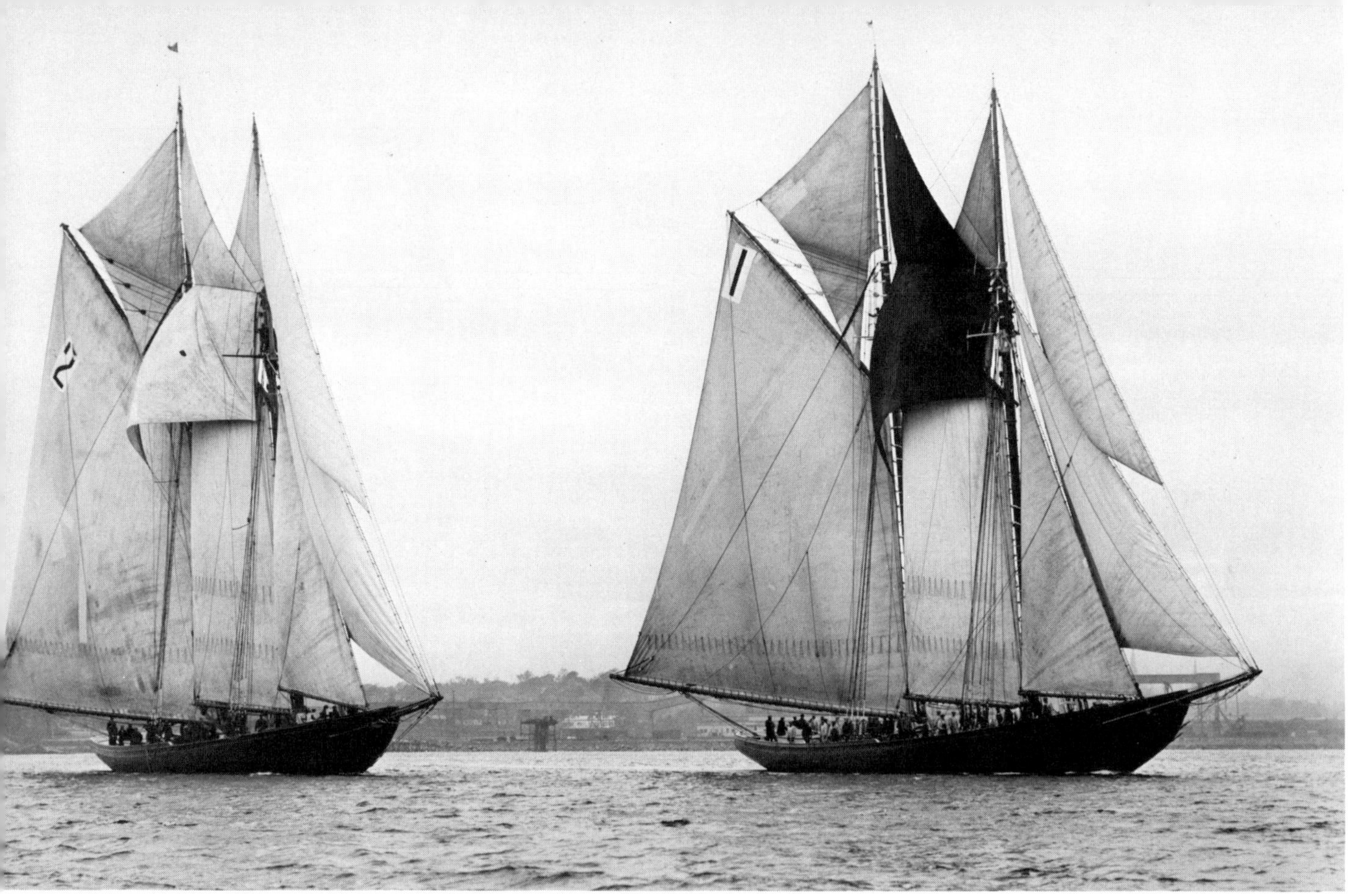

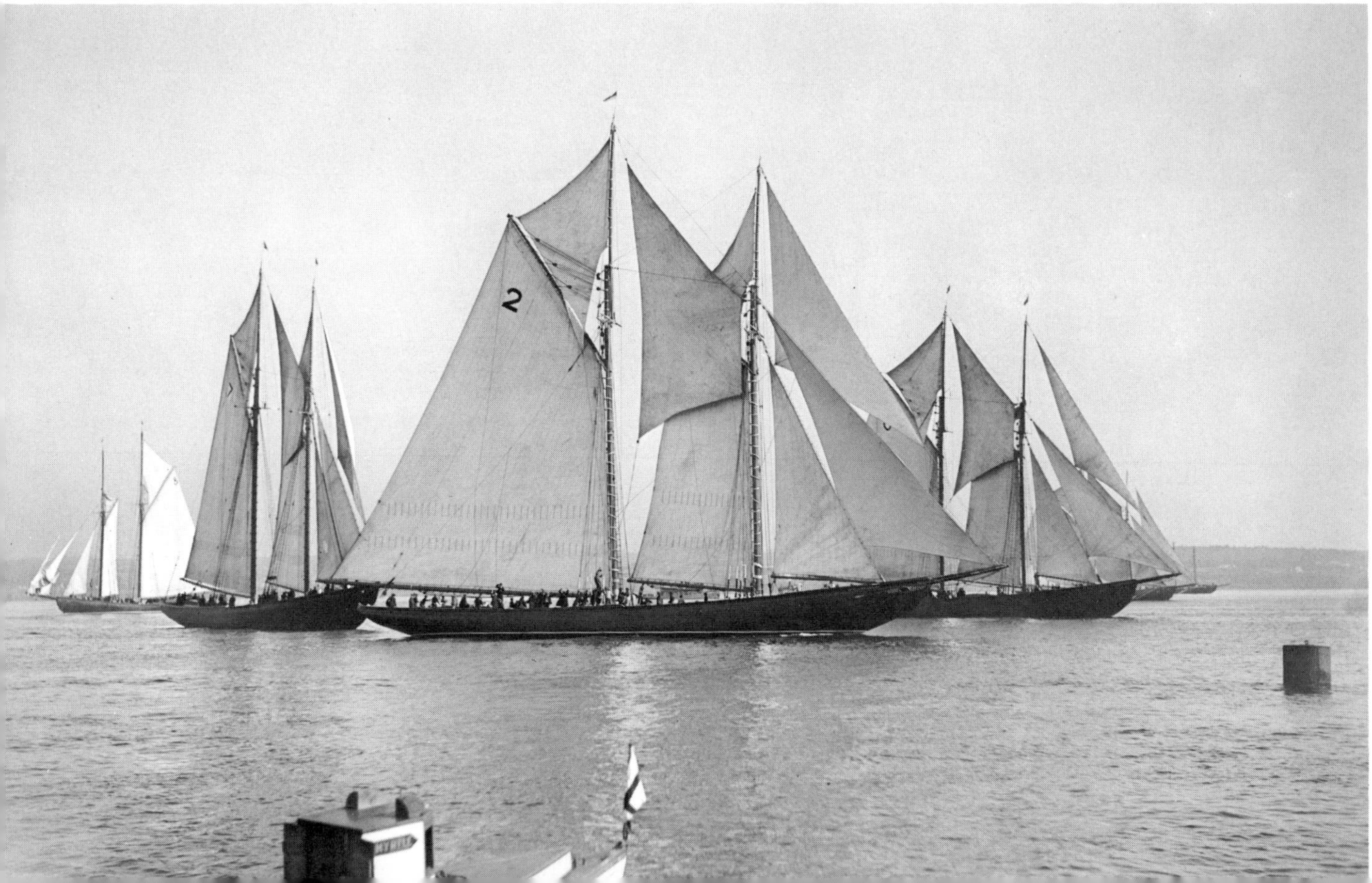

(ci-dessus) – Le Thebaud *devance le* Bluenose *au départ de l'épreuve.*

(ci-contre, en haut) – Le Bluenose, *arborant une voile d'étai empruntée,
devance le* Thebaud *sur la ligne de départ.*

(ci-contre, en bas) – Le Bluenose, *l'*Alcala *à l'arrière et le* Canadia
*par le travers se présentent à la ligne de départ. Derrière eux, l'*Independence *est mis en relief par les
rayons du soleil.*

À l'automne de 1920, l'Esperanto (ci-dessous) remporta facilement la compétition contre le Delawana de Lunenburg et retourna à son port avec le trophée international et un prix en argent de 4 000 $, sous les plus vives acclamations jamais accordées à un navire de Gloucester. Ce fut sa dernière régate. Six mois plus tard, la goélette sombra après avoir heurté une épave de l'île de Sable.

Franchissant la ligne d'arrivée comme «s'il avait tous les diables de l'enfer à ses trousses», le Bluenose *remporte sa dernière épreuve contre le* Columbia.

L'Alcala *double l'Independence du côté sous le vent alors que les deux goélettes s'apprêtent à virer vers le port pendant les premières épreuves de qualification au large de Halifax en 1921.*

(ci-contre) «Aube grise» Une œuvre sombre et célèbre de MacAskill, qu'on retrouve dans plus de 30 collections internationales.

Une goélette de Lunenburg fend la houle de l'Atlantique lors des premières épreuves de qualification, en octobre 1921.

Une scène autrefois courante dans tous les villages de l'Atlantique approvisionnés par les goélettes de pêche: morues salées séchant au soleil avant d'être acheminées vers les marchés du monde entier. De nos jours, la pêche au chalut et à la drague, ainsi que la congélation rapide du poisson, l'ont pratiquement fait disparaître.

DIMENSIONS

Longueur hors tout de la coque	143 pi
Projection du beaupré	17 pi 6 po
Tirant d'eau	15 pi 10 po
Hauteur du pont au sommet du grand mât	125 pi 10 po
Corne de grand mât	51 pi
Hauteur du pont au sommet du mât de misaine	102 pi 6 po
Corne de misaine	32 pi 11 po
Diamètre du grand mât à sa base	22 po
Longueur de la ligne de flottaison	112 pi
Largeur du maître-bau	27 pi
Déplacement	285 tonnes
Grand-bôme	81 pi 6 po
Mât de flèche du grand mât	58 pi
Bôme de misaine	32 pi 10 po
Mât de flèche de misaine	45 pi
Voilure totale	10 901 pi²

SCHÉMA DES VOILES

1. Foc en l'air
2. Foc
3. Trinquette
4. Misaine
5. Flèche de misaine
6. Voile d'étai
7. Grand-voile
8. Flèche de grand-voile

1. Foc en l'air	966 pi²
2. Foc	804 pi²
3. Trinquette	770 pi²
4. Misaine	1 640 pi²
5. Flèche de misaine	560 pi²
6. Voile d'étai	1 305 pi²
7. Grand-voile	4 100 pi²
8. Flèche de grand-voile	756 pi²

BLUENOSE II
ÉQUIPEMENT DE NAVIGATION

Loran • Navigateur Decca • RDF •
Écho-sondeur • Radar • Radio-téléphone

BLUENOSE II
L'AMÉNAGEMENT

1. CARRÉ
2. CUISINE
3. SALON
4. RANGEMENT
5. SALLE DES MACHINES
6. CABINES
7. COULOIR
8. CABINES

La pièce de 10 cents en argent du Canada, frappée à l'effigie du Bluenose *le 1er janvier 1937.*

Le timbre commémoratif Bluenose *de 50 cents émis en bleu par les Postes canadiennes le 6 janvier 1929.*

CRÉDITS PHOTOGRAPHIQUES

Brian Backman: pages 10, 22 et 27 • Phil Backman: page 20 • Cal Productions: pages 80 et 81 (vues du pont) • Maurice Crosby: pages 67, 80 et 81 (vues du navire d'escorte), photo de la page couverture • John Holmes: page 7 (photo de la peinture de Jack L. Gray) • PO₂ Eugene Hovey, RCN: pages 76 et 112 • John E. Knickle: page 13 • W.R. MacAskill: pages 9, 10, 11, 16, 17, 24, 25, 27 (en bas), 28, 29, 31, 33, 34, 37, 39, 41, 47, 48, 84 et pages 86 à 109 inclusivement • Lee Wamboldt: page 79 • Terry Waterfield: page 83 • Cliff Wright: pages 52, 53, 57, 60 (en haut à droite et en bas), 61 (au centre et en bas) et 64 • Charles E. Young: pages 21, 23, 55, 58 (en bas), 62, 66, 69, 70, 71, 72, 73, 74 et 75 • Keith Young: page 69 (deux photos du bas) •

Le Conseil des Arts | The Canada Council
du Canada | for the arts
depuis 1957 | since 1957

*Notre maison d'édition bénéficie du soutien
du ministère du Patrimoine canadien,
du Conseil des Arts du Canada
et de la SODEC.*